Geronimo Stilton

LE ROYAUME DES RÊVES

LE ROYAUME DE LA FANTAISIE - 7

ALBIN MICHEL JEUNESSE

Les gardiens des

Il y a bien des siècles, la reine Floridiana confia sept puissants talismans à sept gardiens, pour qu'ils les protègent. Voici leurs noms…

La Fée Aquaria

C'est la directrice de l'Académie des Fées et des Enchanteurs. C'est une personne douce, mais décidée, qui sait toujours se faire respecter de ses élèves.

L'Aïeule

C'est une énorme tortue du désert des Mille Yeux et des Mille Oreilles. Elle est encore appelée Celle qui n'Est pas Ce qu'Elle Paraît et qui n'Est Jamais au Même Endroit.

Gnome Barbedefeu

Il est le chef du village des Gnomes Nez-Rouge, fameux dans tout le royaume de la Fantaisie pour le délicieux jus de pomme qu'on y produit.

Loup Blanc

C'est un loup au pelage argenté qui vit dans le royaume des Cimes-Enneigées. Il a l'air sauvage, mais son cœur est bon.

Le rossignol de cristal

Ce petit oiseau de cristal est le gardien de la balance de cristal doré, qui mesure la pureté du cœur des gens.

La demoiselle de la tapisserie

Cette ravissante jeune fille vit, avec son inséparable Licorne, dans une splendide tapisserie. Pour entrer dans son royaume enchanté, il suffit de croire au pouvoir des rêves.

Le calmar géant

C'est un énorme calmar qui vit depuis toujours dans les profondeurs marines. En agitant ses longs tentacules, il se déplace rapidement dans les abysses.

TOI AUSSI, TU VEUX ACCOMPAGNER GERONIMO AU ROYAUME DE LA FANTAISIE ? COLLE TA PHOTO ET ÉCRIS TON PRÉNOM !

COLLE ICI
TA PHOTO !
PUIS ÉCRIS
TON PRÉNOM
AU-DESSOUS.

ÉLOÏSE
....

L'ÉTÉ EST DOUX
À SOURISIA...

À Sourisia, la capitale de l'île des Souris, l'été est doux, et même très DOUX ! Ce SOIR-là, je rentrai chez moi après une longue journée de travail et... oh, excusez-moi, je ne me suis pas présenté : je m'appelle Stilton, *Geronimo Stilton*, et je dirige *l'Écho du rongeur*, le journal le plus célèbre de l'île des Souris !

C'est moi, là !

Je disais donc que, ce **SOIR**-là (il devait être sept heures et demie, si je me souviens bien), je **RENTRAIS** chez moi, tranquille et heureux. L'air, **TIÉDI** par le soleil qui avait brillé toute la journée, était **DOUX** et parfumé comme les fleurs; la légère brise qui soufflait de la **mer** était **FRAÎCHE** et chargée de sel…

Avant de me diriger vers la rue du Faubourg-du-Rat, où j'habite, je décidai de m'offrir une GLACE. Je m'arrêtai chez *Ratdeglaçon*, mon glacier préféré, et m'**ʒTTꓱЯꓷꓱƷ** devant le comptoir…

WAOUH!

TOUS CES PARFUMS!

Dans l'interminable vitrine étaient rangés pas moins de trente-quatre bacs de GLACE aux parfums variés. Le propriétaire, Eskimot Crémeux (alias Tutti-Frutti), me reconnut aussitôt et me salua :

– Oh, monsieur Stilton, bonsoir ! J'ai lu votre dernier livre, *le Royaume des Sirènes* ! J'ai adoré ! J'adore les histoires de chevaliers, de princesses, de Gnomes, de Dragons… *et tout le tralala* !

Puis il me regarda d'un air curieux et me demanda en baissant la voix :

– À propos, quand publierez-vous un nouveau ⓛⓘⓥⓡⓔ, monsieur Stilton ?

Humm… ici, tout est délicieux !

Je ne savais pas quoi répondre.

– Euh… je ne sais pas, enfin… peut-être… BIEN-TÔT, j'espère BIENTÔT !

Eskimot insista :

– Allez, vous pouvez bien me le dire, à moi : vous l'écrirez QUAND ? Et, au fait, comment trouvez-vous les idées pour vos livres ?

Je baissai la voix pour lui faire une confidence :

– En vérité, chacun de mes livres est né… d'un VOYAGE !

Il écarquilla les yeux.

– Vous voulez dire que vous vous rendez *vraiment* au royaume de la Fantaisie ?! Et que vous rencontrez des Fées, des Gnomes, des Lutins *et tout le tralala* ?

Je soupirai. Je savais que ce n'était pas facile à expliquer, mais j'essayai quand même :

– Oui, je m'y rends vraiment, mais en RÊVE, c'est-à-dire qu'en rêvant je voyage dans la fantaisie ! N'importe qui peut entreprendre un tel VOYAGE, parce que le royaume de la Fantaisie est ouvert à *TOUS* ceux qui aiment rêver et…

Sans me laisser terminer ma phrase, Eskimot s'exclama :

– Moi aussi, je pourrais y aller ?

Tout le monde se retourna dans la boutique, et je rougis (je suis un gars, *ou plutôt un rat*, très timide !).

Je chuchotai :

– Euh, bien sûr, vous pouvez y aller, nous avons tous de l'imagination, c'est-à-dire la capacité de voler sur les ailes de la fantaisie, qui nous permettent de voyager LOIN, très loin…

Il s'accouda sur le comptoir et murmura d'une voix RÊVEUSE :

– Voyager loin… très loin… oh, comme j'aimerais aller au royaume de la Fantaisie avec vous, monsieur Stilton !

J'acquiesçai en SOURIANT :

– C'est si beau de rêver sur les ailes de la fantaisie…

Mais une voix derrière moi me ramena brusquement à la réalité :

– Bon, alors, vous, avec la veste verte, vous vous décidez à prendre une GLACE, oui ou non ? On commence à s'impatienter, nous !

Je me retournai.

– Euh… vous avez raison… excusez-moi, c'est que la fantaisie… les voyages… bredouillai-je.

Derrière moi s'était formée une longue **FILE** d'attente ! Tous ces rongeurs soupiraient, impatients, et marmonnaient :

– Alors, il se décide, oui ou non ?

– D'accord, il y a plein de parfums, mais **bon**…

Puis un enfant, qui donnait

Loin…

Oui, avec la fantaisie, on voyage loin !

Grounf !

la patte à une dame, me **montra** du doigt en criant :

– Maman, c'est Stilton, Geronimo Stilton ! Celui qui écrit les livres sur le royaume de la Fantaisie !

Émue, la dame demanda :

– Êtes-vous vraiment monsieur Stilton ? Félicitations : les aventures que vous racontez sont vraiment assourissantes ! *À propos, quand publierez-vous un nouveau livre ?*

Un rongeur âgé, avec de longues moustaches en guidon de vélo, me donna une tape sur l'épaule.

– Bravo, jeune souris ! Je connais vos livres parce que

On avance !

Je veux une glace…

Patience, mon souriceau, patience…

Pfff…

je les lis à mes petits-enfants ! *À propos, quand publierez-vous un nouveau livre ?*

Je n'eus pas le temps de répondre, car une dame me mit un papier sous le museau.

– Vous voulez bien me signer un autographe, s'il vous plaît ? Écrivez : «Pour la petite Tippi, de la part de Geronimo Stilton». Ma fille sera si contente ! *À propos, quand publierez-vous un nouveau livre ?*

C'est alors que tout le monde s'exclama en chœur :

– À propos, quand publierez-vous un nouveau livre ?

Un gamin me tira par la manche.

– Oui, à propos, quand publies-tu un nouveau livre ?

Pris de court, je **balbutiai** :

– Euh… je ne sais pas…

Eskimot Crémeux passa devant le comptoir et me fourra dans la **PATTE** sa spécialité, «Glace à gogo», une glace délicieuse avec pas moins de **QUATORZE** parfums différents.

Sur la dernière boule, il planta deux rouleaux de gaufrette **CROUSTILLANTE** et dit :

– C'est pour vous, monsieur Stilton, cadeau de la maison, avec le souhait que vous écriviez au plus vite un nouveau livre *assourissant* !
Je remerciai tout le monde et repartis en dégustant ma glace, la plus *délicieuse* de toute l'île des Souris !

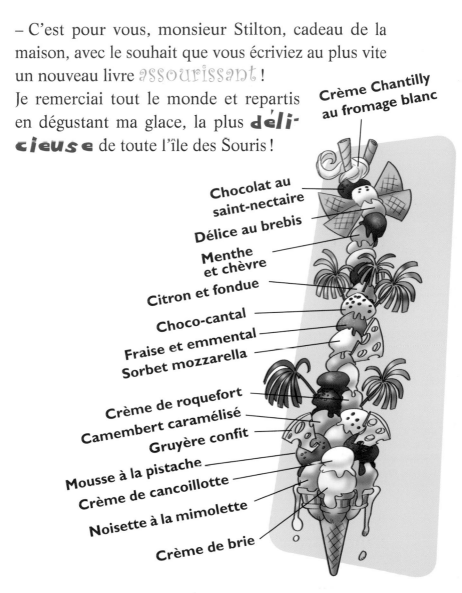

Crème Chantilly au fromage blanc

Chocolat au saint-nectaire

Délice au brebis

Menthe et chèvre

Citron et fondue

Choco-cantal

Fraise et emmental

Sorbet mozzarella

Crème de roquefort

Camembert caramélisé

Gruyère confit

Mousse à la pistache

Crème de cancoillotte

Noisette à la mimolette

Crème de brie

JE COMMENCE PAR LA BONNE OU PAR LA MAUVAISE NOUVELLE ?

Le lendemain matin, en arrivant au bureau, je **VIS** que mes collaborateurs de *l'Écho du rongeur* et les membres de ma **famille** étaient réunis au grand complet.

Ils m'accueillirent en criant :

– Le voilà, il est là !

J'étais surpris, je ne savais pas qu'il y avait une réunion. Mon grand-père, le **TERRIBLE** Honoré Tourneboulé, dit Panzer (il a fondé *l'Écho du rongeur* et menace toujours d'en reprendre la direction), gronda, en contrôlant l'heure sur sa montre :

– Gamin, tu es en **RETARD** ! On n'attendait plus que toi.

Mon cousin Traquenard ricana et, en me **pinçant** l'oreille droite, hurla :

– Ouais, il ne manquait que toi, Ger !

Ma sœur Téa tapa du PIED, impatiente.

– Il était temps! On a une nouvelle pour toi, Geronimo...

Traquenard me pinça une nouvelle fois, l'oreille gauche cette fois, et ajouta :

– Ou plutôt deux nouvelles, cousin. Je commence par la bonne ou par la **MAUVAISE** nouvelle ?

Ça sentait les ennuis à plein nez, et je répondis prudemment :

– Dans quel sens, bonne ou **MAUVAISE** ?

Mon grand-père, qui s'impatientait, soupira :

Je commence par la bonne ou par la mauvaise nouvelle ? Hé, hé, hé...

Hum... ça sent les ennuis à plein nez...

– Bon, qu'attendez-vous pour tout lui dire ? Je sens venir la MOISISSURE sur les moustaches, je n'ai pas que ça à faire, moi !

Mon neveu Benjamin répéta :

– Alors, tonton, on commence par la bonne ou par la **MAUVAISE** nouvelle ?

Enfin, je répondis :

– Euh… la bonne d'abord !

– Voici donc la bonne nouvelle ! déclara ma sœur.

Ton livre *le Royaume des Sirènes* a BeAucoup plu aux lecteurs. BeAucoup BeAucoup, et même BeAucoup BeAucoup BeAucoup…

Méfiant, je demandai :

– Et la **MAUVAISE** nouvelle ?

– La MAUVAISE nouvelle, en tout cas pour toi, ricana Traquenard, c'est que… les lecteurs ont tellement aimé qu'ils veulent lire un nouveau voyage au royaume de la Fantaisie ! Et ils veulent le lire

tout de suite, et même tout de suite tout de suite, et même tout de suite tout de suite tout de suite !

Grand-père gronda une nouvelle fois :

– Donc, gamin, tu dois te mettre au travail sans tarder ! Écris écris écris !

Pris de court, je balbutiai :

– Quoi ?… Je… dois écrire ? Et quoi ? Mais surtout… quand ?

Grand-père hurla si fort qu'il fit VIBRER les carreaux de toutes les fenêtres de *l'Écho du rongeur* :

– Gamin, tu as les oreilles fourrées de fromage ou quoi ? À moins que tu n'aies ENVOYÉ ton cerveau en réparation ? Tu dois écrire le septième voyage au royaume de la Fantaisie ! Et tu dois l'écrire TOUT DE SUITE si nous voulons qu'il sorte avant l'été ! En fait, nous sommes déjà en retard !

J'essayai de me défendre :

– Mais comment puis-je l'écrire TOUT DE SUITE ? Vous savez bien que je ne peux écrire mes livres sur le royaume de la Fantaisie que quand je fais un rêve particulier et…

– Hé, hé, hé, se moqua Traquenard, si tu as besoin de

RÊVER, tu n'auras pas de problème, cousin : ta vie est une histoire à dormir debout !

Et il me pinça, le museau cette fois.

– Tu as sommeil, Geronimo ? Tes paupières sont **LOURDES**, tu as une irrésistible envie de bâiller, tu ronfles déjà ? Ou bien tu veux que je t'aide en te donnant un bon coup sur la caboche ?

– Pitié, pas de coup sur la tête ! m'écriai-je.

Benjamin me tendit une **tasse** fumante.

– Tu veux de la camomille bien chaude, tonton ? Ça va te détendre…

Je bus à petites gorgées, essayant de me relaxer, mais je m'aperçus que, au contraire, je m'**ÉNERVAIS** de plus en plus. Puis tout le monde partit et je m'allongeai sur le canapé de mon bureau, glissant sous ma tête un coussin moelleux. Enfin, je fermai les yeux, espérant que j'allais m'**ENDORMIR** rapidement, mais… je n'avais pas sommeil !

Je me tournai sur le côté gauche, à la recherche d'une position confortable, mais j'eus bientôt une crampe à la jambe.

Alors je me mis sur le côté droit, mais je ne réussis pas plus à m'endormir.

Je me mis sur le ventre,
puis sur le dos,
puis la tête en **bas**.

Je plaçai un coussin sur mes oreilles, puis je mis la climatisation en marche parce que j'avais chaud, puis j'éteignis la *CLIMATISATION* parce que j'avais froid, puis j'essayai de boire un verre de *lait* chaud, puis je me dis qu'il valait mieux grignoter une lichette de gruyère.

Puis j'essayai de compter les moutons et de lire l'*annuaire* du téléphone.

Enfin, désespéré, j'essayai de réécouter une assommante conférence sur les origines des *RATS* musqués du Sourikistan, qui aurait endormi n'importe qui…

Mais tout fut inutile : pas moyen de trouver le sommeil !

10 stratégies pour s'endormir

Je me tournai à droite...

puis à gauche...

Je me mis sur le ventre...

Je me mis sur le dos...

Je me couvris les oreilles

avec un coussin...

J'essayai diverses positions...

Je grignotai une lichette de gruyère...

Je comptai les moutons...

Je mis la climatisation en marche...

Je lus l'annuaire du téléphone...

J'éteignis la climatisation...

Mais tout fut inutile! Je ne dormais toujours pas!

RÊVER
SUR COMMANDE

En sortant de mon bureau, j'avais les nerfs à fleur de peau : j'étais hyperstressé ! Je me DIRIGEAI vers la sortie du journal, mais j'étais si nerveux que :

Quelle sale journée !

• je me COGNAI à une table et renversai une pile de gros livres qui m'écrasèrent les pattes… aïe !

• je RENTRAI dans un rongeur qui était en train de boire une tisane au jasmin et qui me la renversa sur la veste… aïe !

• je TRÉBUCHAI sur le tapis jaune de l'entrée et me froissai les moustaches… aïe !

Je me relevai, tout **PENAUD**, et annonçai :

– Il vaut peut-être mieux que je rentre chez moi… Comme ça, *peut-être*, je réussirai à dormir !

Quelques minutes plus tard, j'arri-

vai au 8 de la rue du Faubourg-du-Rat, où j'habite.
J'**ENTRAI** dans ma chambre, enfilai mon pyjama préféré (celui qui a des impressions de pointes de fromage) et fermai les volets : ma chambre devint aussi **SOMBRE** que l'estomac d'un **CHAT** affamé !
Je me BLOTTIS dans mon lit et parvins enfin à m'assoupir, mais, juste après, le téléphone SONNA, et je me réveillai en sursaut.

DRING DRIIIIIIIIIIIIING !
DRING

C'était mon grand-père, qui me demanda :

– Alors, gamin, tu as dormi ? Tu as rêvé ? Bref, tu as écrit ? *ÉCRIS ÉCRIS ÉCRIS*, le temps passe !

Les moustaches frémissant de stress, je hurlai :

– Mais je ne peux pas dormir sur COMMANDE, moi ! Ou plutôt je ne peux pas rêver sur COMMANDE, ou plutôt je ne peux pas écrire sur COMMANDE !

Mais il avait déjà raccroché.

Alors j'eus une **iDée** : j'allais essayer d'écrire le septième voyage au royaume de la Fantaisie sans rêver. Après tout, j'étais un écrivain, et puisqu'il suffisait de se servir de sa *fantaisie,* je pouvais inventer n'importe quelle histoire ! Je rallumai donc la lampe, pris mon ordinateur et écrivis sur la première page d'un nouveau document : « Septième Voyage au royaume de la Fantaisie, chapitre premier. Page 1. » Je **FIXAIS** la page blanche, mais il ne me venait

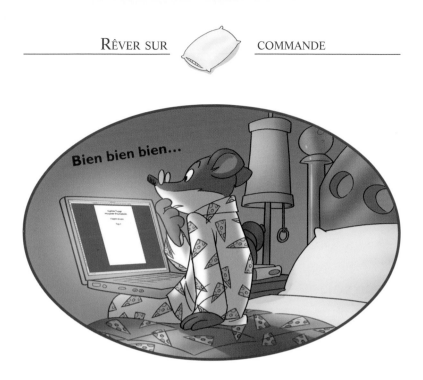

rien à l'esprit... ou plutôt rien qui convienne : ces histoires devaient être SPÉCIALES, ce ne pouvait pas être des histoires inventées, il fallait qu'elles soient le récit de voyages que j'avais vraiment faits dans ce *royaume* magique, même si ce n'était qu'en rêve... Et puis, par respect envers mes lecteurs, je ne pouvais pas raconter que j'avais RÊVÉ de nouveau du royaume de la Fantaisie si ce n'était pas vrai. Je soupirai et éteignis mon ordinateur.

C'est alors qu'un SMS arriva sur mon téléphone. C'était Benjamin !

Je l'appelai aussitôt :

– Hélas, Benjamin, je n'ai réussi ni à dormir ni à **RÊVER**, et encore moins à écrire…

Il me fit une proposition :

– Tonton, je vais à la **PLAGE** pour jouer avec mes copains de classe. Pourquoi ne m'accompagnerais-tu pas ? Ça te changera les idées !

C'est ainsi que, ensemble, en cet **ÉTOUFFANT** après-midi de juillet, nous allâmes dans ce qui est pour moi le plus **BEL** endroit de la ville : la plage des Coquillages-Roses, ainsi nommée parce que la mer y dépose des myriades de coquillages aux **REFLETS** roses nacrés.

Le **SOLEIL** était haut dans le ciel, la chaleur était suffocante et je me réfugiai sous un parasol, pour me protéger de la **canicule**.

Tandis que Benjamin allait jouer avec ses amis, je m'installai sur une chaise longue, à l'**OMBRE**. Ouf, quelle chaleur !

Je sirotai de l'orangeade, mais cela ne suffit pas à me

rafraîchir : j'avais l'impression de FONDRE comme de la cancoillotte au soleil ! J'essayai de me détendre, mais j'avais à peine fermé les yeux que je fus happé dans un tourbillon magique d'*étoiles*...

ALLEZ, BOUGE TON ARRIÈRE-TRAIN ET LÈVE-TOI !

Soudain, je sentis un pinçon sur mon oreille gauche et une voix hurla :
– Eh, toi, *Chose*, c'est-à-dire CHEVALIER, réveille-toi !
J'ouvris les yeux et vis, juste sous mon museau, un BERNARD-L'ERMITE ORANGE qui sor-

tait d'une grosse coquille aux reflets nacrés avec de délicates nuances violacées.

Il me fixait de ses yeux **RONDS** et exorbités, à l'expression vaguement ahurie. Puis il se mit à agiter ses pinces et, comme je ne lui répondais pas, me pinça l'autre oreille.

– AÏE ! criai-je.

Il constata, satisfait :

– Parfait, tu es enfin réveillé, *Chose*, c'est-à-dire CHEVALIER ! Allez, bouge ton arrière-train et lève-toi, il est temps de partir !

Je m'assis, stupéfait, et regardai autour de moi.

– Q-qui es-tu ? Et, surtout, pourquoi parles-tu ? Les BERNARD-L'ERMITE ne parlent pas.

Vexé, il me pinça le museau.

– Parce que, d'après toi, je devrais rester muet comme un **ROCHER** ? Mais comment oses-tu ?! Il se pavana, lissant sa coquille d'un air impor- tant, et déclama :

– Peut-être ignores-tu que je suis le *Choser* de sa *Chosale Choseté* !

– Quoi ? dis-je en me grattant le menton, perplexe.

– Bref, soupira-t-il. Je suis le *Messager* de sa *Royale*

Majesté, le Responsable des Missives Royales, le Gardien des Messages de Celle qui Est Toujours Belle, Celui qui Connaît ce que Personne ne Peut Connaître (sauf Moi, Toi et Celle qui Défend le Mystère de la Chaîne des sept talismans), le Pagure des Pagures, le Crustacé des Crustacés, bref je suis Grustave des Sept Mers !

Il s'inclina avant de poursuivre :

– Pour te servir, *Chose*, c'est-à-dire CHEVALIER SANS PEUR ET SANS REPROCHE. Bienvenue au *royaume de la Fantaisie* !

Je voulus demander quelques explications à Grustave, mais, au lieu de m'écouter, il me montra avec fierté un médaillon en or massif : sur une face était gravé le portrait d'une Fée très BELLE et très *douce* que je connaissais bien : c'était Floridiana !

En la voyant, mon CŒUR se mit à battre très fort, parce que Floridiana est la

reine du royaume de la Fantaisie

et... de mon cœur. Je lui ai juré fidélité et amitié éternelles !

Puis, d'un air solennel, Grustave retourna le médaillon et me présenta son propre portrait, sous lequel était gravé un message en alphabet fantaisique*...

Je traduisis : « *Grustave Mythique Messager Marin* ».

* Tu trouveras l'alphabet fantaisique page 320.

Grustave
des Sept Mers

GÉNÉALOGIE

Grustave de Grustavin, de la noble dynastie des Crustacheux, descend du fameux Gruston, son grand-père, fameux Messager Marin choisi par Floridiana pour remettre ses messages secrets dans les eaux des Sept Mers du royaume de la Fantaisie.

SON PASSÉ

Il fut élevé par son grand-père Gruston. Dès qu'il fut assez grand, il le suivit dans ses missions aventureuses pour Floridiana et apprit comment devenir un parfait MMM (Mythique Messager Marin) au service de la reine du royaume de la Fantaisie.

Il a hérité de son grand-père la Grustaville, la coquille dans laquelle il vit et dont il est très fier parce qu'elle est équipée de tout ce qui peut être utile à un messager ! La Grustaville contient une armoire remplie de tous les déguisements possibles (je ne vous raconte pas la note du teinturier quand il doit faire rafraîchir sa garde-robe), et aussi un coin secret où sont rangées toutes les choses que nous ne pouvons pas vous révéler, sinon ce ne seraient plus des secrets, non ?

CE QUI LE REND SPÉCIAL

Gruston a présenté son petit-fils à son vaste réseau de connaissances, si bien que tout le monde peut rendre service à Grustave et qu'il reçoit les confidences de tous les poissons qui peuplent les eaux fantaisiques !

CARACTÈRE

Sa principale qualité : il a toujours un avis sur tout.

Son plus grand défaut : il parle trop !

Son plus grand secret : il est amoureux de Grustavette Grustard, mais elle ne fait pas attention à lui et fait même semblant de ne pas le voir quand elle le croise. Grustave ne sait pas pourquoi elle agit ainsi, et lui écrit continuellement des lettres passionnées qu'il finit toujours par garder parce qu'il n'ose pas les lui envoyer.
Il a déjà la bague de fiançailles et, de temps en temps, il l'astique, les yeux voilés de larmes...
Aura-t-il un jour le courage de déclarer son amour à la crustacée de son cœur, qui ne daigne même pas poser les yeux sur lui ?

GRUSTAVETTE

Aussitôt, je compris que le médaillon était une sorte de signe de reconnaissance !

J'allais bredouiller une QUESTION, quand le bernard-l'ermite me demanda, impatient :

– Alors, *Chose*, as-tu compris qui je suis, maintenant ? Es-tu prêt à écouter le message que t'envoie Floridiana, la reine des Fées (qu'elle soit toujours honorée) ?

Floridiana del Flor

La reine Blanche, maîtresse de la Paix et du Bonheur,
Celle qui Rassemble en Elle l'Harmonie du Monde,
reine des Fées et de tout
le royaume de la Fantaisie.

Elle vit à Châteaucristal, un merveilleux château de pur
cristal transparent.

Six fois déjà le Chevalier Sans Peur et Sans Reproche
est accouru à son aide : la première fois pour réveiller
la reine d'un sommeil enchanté ; la deuxième pour l'aider
à retrouver le Cœur du Bonheur ; la troisième pour
la délivrer du méchant qui l'avait enlevée ; la quatrième
pour sauver le dernier œuf de Dragon ; la cinquième
pour arrêter les tremblements de terre qui secouaient
le royaume ; la sixième pour accomplir
la Prophétie des Cristaux ! Quelle est la
septième mission que Floridiana s'apprête
à confier au Chevalier ?
Seul Grustave, le Mythique
Messager Marin, connaît la mission
du Chevalier et va bientôt la lui
révéler...

MESSAGE DE
FLORIDIANA DEL FLOR

J'étais encore assez confus et bredouillai :

– Euh… bien sûr ! Quel est le message ?

Grustave s'éclaircit la voix, toussa, fit des gargarismes avec une gorgée d'eau de mer et trois gouttes d'extrait d'algue, et se mit enfin à déclamer d'une voix forte :

– *Message de Floridiana del Flor pour le Chevalier Sans Peur et Sans Reproche, remis par le Mythique Messager Marin Grustave des Crustacheux !*

Le bernard-l'ermite s'INTERROMPIT et se désigna du bout de la pince.

– … c'est-à-dire, sans vouloir me vanter, Moi !

Puis il reprit :

– *Moi, Floridiana del Flor, reine du royaume de la Fantaisie, je vous salue, Chevalier Sans Peur et Sans Reproche, qui, une fois de plus, êtes venu dans mon royaume infini pour m'aider… Je vous remercie parce que, cette fois encore, votre mission sera difficile, pleine de risques et de périls !*

Le bernard-l'ermite s'arrêta pour demander :

Message de Floridiana !

– Alors, je m'en sors bien ?

Je le rassurai :

– Tu t'en sors très bien. Continue, je t'en prie !

Il se remit à **déclamer** :

– Je disais donc… *Ce sera une mission périlleuse, car vous devrez affronter le terrible Mage de la Perle noire !*

Il s'interrompit encore, pour essuyer une LARMe, et ajouta :

– Oh, à mon avis, vous y laisserez votre pelage !

Et il enchaîna aussitôt :

– À la suite d'un enchantement, ce méchant Mage a été enfermé pour mille ans dans une prison d'eau, au fond du gouffre des Mystères. Mais les mille années sont écoulées et l'enchantement s'est évanoui. Le Mage de la Perle noire est libre et s'est mis en quête de la chaîne des sept talismans, qui

donne un pouvoir immense à celui qui la possède !
Il veut s'en emparer pour conquérir le royaume de la
Fantaisie et en asservir tous les peuples.
Grustave se frappa le front d'une pince.
– Tu admires ma mémoire, non ? Je n'écris jamais
les **messages**, pour être sûr qu'ils ne tomberont
pas aux mains des ennemis, mais je les archive tous
ici, dans mon ciboulot !
– Tu es très fort, mais termine, s'il te plaît, quelle est
ma **MISSION** ?
Il ricana, heureux d'être au **CENTRE** de l'attention.
– *Chevalier Sans Peur et Sans Reproche, votre mis-*
sion sera… de retrouver les sept talismans qui com-
posent la mythique chaîne !
Le **BERNARD-L'ERMITE** essuya son front cou-
vert de sueur.
– Ouf, c'est épuisant ! Ce **message** était vraiment
très long ! Alors, tu fais quoi ? Tu acceptes ou tu
refuses ?
– J'accepte ! affirmai-je d'un ton décidé. Dis à
Floridiana que…
Il me coupa en CRIANT :

Le Mage de la Perle noire

également nommé le Toujours Terrifiant,
l'Étouffeur d'Espoir, le Dominateur des Ténèbres,
appartient à la dynastie des Mages obscurs.

Descendant de Noiraud de Nocturne, c'est un
magicien très puissant et très cruel. Assoiffé de
pouvoir, il a tenté, il y a mille ans, de s'emparer
du royaume de la Fantaisie. Vaincu par Floridiana
et ses alliés, il a été emprisonné pendant mille ans
dans le gouffre des Mystères, pour qu'il ne puisse
plus nuire aux habitants du royaume. Mais, durant
sa très longue captivité, il n'a cessé d'ourdir des
complots dans l'ombre et a noué des alliances avec
le perfide peuple des Huîtres, qui lui a livré toutes
les perles produites dans les Sept Mers. À présent
que les mille années sont écoulées,
le Mage utilise ce gigantesque trésor
pour acheter le soutien de tous ceux
qui sont prêts à se vendre.
En échange, il a promis
de faire du peuple
des Huîtres le plus
important de son
royaume.

– Attends, tu le lui diras toi-même ! Je vais prendre le Grustavophone.

Je n'eus pas le temps de lui demander ce qu'était le Grustavophone que déjà le bernard-l'ermite avait **plongé** dans sa coquille. Il resta invisible pendant un moment, puis reparut en me tendant un drôle de téléphone en forme de coquillage : voilà ce qu'était le Grustavophone !

Je le plaçai contre mon oreille et j'entendis alors une *douce* voix que je reconnus aussitôt : c'était *Floridiana.*

DRIIING !

GRUSTAVOPHONE

– Chevalier, avez-vous reçu mon message ? Acceptez-vous d'accomplir cette mission très **PÉRILLEUSE** ? Si vous acceptez, sachez que le premier **TALISMAN** et la chaîne d'or sont conservés par la Fée Aquaria. Mais soyez prudent, je vous en prie, parce que le Mage de la Perle noire a de *dangereux* alliés et des espions sournois partout !

Je répondis, bien qu'effrayé :

– J'accepte la mission et…

Mais Grustave m'arracha le Grustavophone des **PATTES** et me cria, très agité :

– Ça suffit comme ça, *Chose*, les *chosones cho-soûtent*, je veux dire… les coups de téléphone coûtent cher et après c'est moi qui ai à payer des **factures** plus salées que l'**eau de mer** !

Il allait partir, mais il s'immobilisa brusquement et se frappa de nouveau le front d'une pince.

– Par les moustaches du poisson-chat, j'allais oublier : la Marinarmure ! Entre, *Chose*, tu pourras la *choser*, je veux dire la mettre !

Et il disparut dans sa coquille.

J'en étais encore à fixer la coquille vide, stupéfait, lorsqu'il reparut et répéta :

– Allez, entre ! Et fais attention à ne pas **DÉRAPER** sur les marches comme tous les mollusques.

Hésitant, je me **PENCHAI** sur le coquillage… et une seconde plus tard j'étais à l'intérieur ! Ne me demandez pas comment j'avais fait, parce que je ne le compris pas moi-même – mais je vous assure que j'étais à l'intérieur de la Grustaville ! Je restai sans voix : devant moi s'ouvrait un **GRAND** et

GRUSTAVILLE : la mythique coquille

de GRUSTAVE des Crustacheux

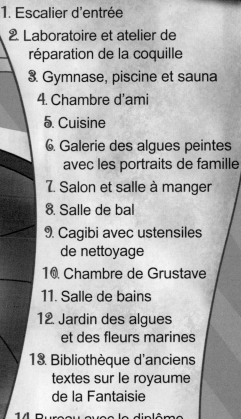

1. Escalier d'entrée
2. Laboratoire et atelier de réparation de la coquille
3. Gymnase, piscine et sauna
4. Chambre d'ami
5. Cuisine
6. Galerie des algues peintes avec les portraits de famille
7. Salon et salle à manger
8. Salle de bal
9. Cagibi avec ustensiles de nettoyage
10. Chambre de Grustave
11. Salle de bains
12. Jardin des algues et des fleurs marines
13. Bibliothèque d'anciens textes sur le royaume de la Fantaisie
14. Bureau avec le diplôme de Mythique Messager Marin
15. Collection de coquillages musicaux

luxueux appartement ! Grustave me conduisit dans une pièce où était conservé un grand coffre de bois et dit d'un ton solennel :

– C'est pour toi, *Chose*, de la part de Floridiana !

Je soulevai le lourd couvercle du coffre et découvris une MERVEILLEUSE armure de corail rouge, légère mais très résistante, avec une cape d'algues tressées. Il y avait aussi une épée à la poignée en forme d'**étoile de mer**, une petite besace et une bague d'or portant le sceau de *Floridiana*. Sur un parchemin était écrit : «Moi, Floridiana del Flor, je vous nomme Chevalier des Sept Mers : vous exercerez votre pouvoir en deçà et au-delà des vagues et vous aurez autorité pour parler en mon nom !»

MARINARMURE

L'armure du Chevalier des Sept Mers

Cape d'algues tressées et fermoir de corail

Marinarmure de corail rouge

Épée avec poignée en forme d'étoile de mer rouge

Bague d'or avec le sceau de Floridiana : une rose bleue

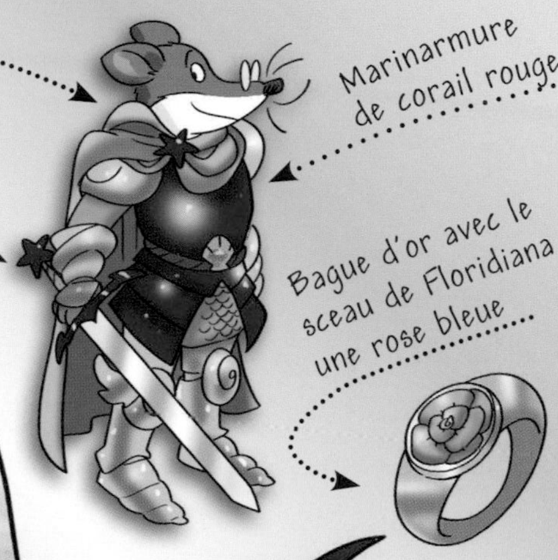

Moi,
Floridiana del Flor,
je vous nomme Chevalier
des Sept Mers :
vous exercerez votre pouvoir
en deçà et au-delà
des vagues et vous aurez
autorité pour parler
en mon nom !

AU REVOIR
ET SALUT !

Je sortis bientôt de la Grustaville et Grustave me remit la liste des SEPT TALISMANS, écrite sur une lanière d'algue, puis me serra la patte.

– Bien, *Chose*, ce fut un plaisir de faire ta *chosaissance*, je veux dire de faire ta connaissance. Au revoir et salut ! Ou plutôt toutes mes condoléances (je me demande si tu reviendras vivant…).

Exécutant un rapide demi-tour, il se dirigea vers la mer en trottinant allégrement.

Je lui courus derrière, INQUIET.

– Eh, tu m'abandonnes ?

Il soupira :

– Floridiana (qu'elle soit toujours honorée) m'a demandé de t'apporter son message, pas de te servir de nounou. Ainsi donc, bien le bonjour, ma mission est terminée ! Si tu crèves, ce n'est pas mon problème…

LES SEPT TALISMANS

1. Cœurdecorail

Conservé par la Fée Aquaria en son château de Corailrose. C'est un symbole d'amour et il a le pouvoir de révéler tout l'amour qu'il y a dans le cœur des gens.

2. les Mains qui se serrent

Talisman d'argile couleur de terre. Conservé dans le désert des Mille Yeux et des Mille Oreilles, il est le symbole de l'amitié. Celui qui le porte saura apporter son aide à ses amis et recevra la leur.

3. le Médaillon du Soleil et de la Lune

Conservé dans la vallée de l'Arc-en-ciel par le chef des Gnomes Nez-Rouge. Il est en or et émaillé de précieuses couleurs. Il a le pouvoir d'allonger la nuit ou le jour.

4. l'Étoile de diamant

Elle se trouve dans le royaume des Cimes-Enneigées. On dit qu'il est gardé par un loup blanc qui raffole de la chair fraîche de souris! C'est un symbole de courage... et pour le conquérir il faut prouver que l'on est très courageux!

5. la Plume de cristal

Elle se trouve aux confins du ciel fantaisique, sur la planète de Cristal. On dit qu'aucun de ceux qui sont partis à sa recherche n'est revenu! Seul celui qui a le cœur pur pourra la conquérir.

6. la Licorne d'argent

Elle se trouve dans le château des Rêves, où la réalité et l'illusion se confondent et où mille pièges attendent les voyageurs!

7. La Perle dorée

Elle a été confiée au gardien aux innombrables bras, qui, pour la mettre en sûreté, l'a cachée au fond de la mer, dans un endroit mystérieux nommé caverne de l'Obscurité-Profonde, près du gouffre des Mystères.

Sur ce, il recommença à MANŒUVRER sa Grustaville en direction des vagues, mais je le retins :
– Aide-moi ! Cette mission a l'air très **DANGE-REUSE** !

Il soupira de nouveau :
– Bien sûr qu'elle est dangereuse ! D'ailleurs, je suis surpris que tu sois encore en VIE ! Dès que le Mage de la Perle noire saura que tu as été choisi pour cette mission, il te POURCHASSERA et déchaînera ses alliés contre toi, jusqu'à ce qu'il ne reste de toi qu'une pierre avec ton nom gravé dessus. Mais ne t'inquiète pas : je t'apporterai des FLEURS fraîches tous les jours !

C'était une mission trop dangereuse !

Je voulais le supplier de m'accompagner, mais il me salua en agitant la pince et allait repartir, lorsque le Grustavophone sonna.

Le bernard-l'ermite répondit :
– Allô ? Ici, Grustave. Oui, c'est moi, Majesté. Que dites-vous ? Hum, bien sûr. Oui. Oui. Oui. Ouiouioui… Bien sûr, à vos ordres !

Il raccrocha et soupira de plus belle :
– Tu es une souris chanceuse. La reine m'a ordonné de t'accompagner. Le premier talisman est conservé par la Fée *Aquaria*, dans son royaume sous-marin de Corailrose, et c'est là que nous allons nous rendre.

Je poussai un soupir… de soulagement.

Puis je demandai, incertain :
– Euh, comment allons-nous faire pour atteindre CORAILROSE ? J'y suis déjà allé, lors de mon précédent voyage au royaume de la Fantaisie, mais je ne saurai pas…
Grustave secoua la tête et marmonna :
– Il faut vraiment tout t'apprendre ! Il suffit d'appeler un taxi !

THONIO THONO LE POISSON TAXI

Il connaît tous les secrets du trafic sous-marin : les horaires de passage des baleines, les courants chauds et froids, les récifs, les bas-fonds, les stations de ravitaillement, mais surtout il sait comment éviter les zones infestées de requins !

Il siffla et au bout d'un moment parut à la surface un **énorme** thon, équipé de sièges pour les passagers.

Grustave sauta à bord et s'exclama :

– Salut, Thonio ! Conduis-nous à Corailrose !

Puis, se tournant vers moi, il m'encouragea :

– Alors, que fais-tu ? Tu attends que des ALGUES te poussent sous les pattes ?

Je pris place à mon tour et attachai la ceinture de sécurité. Thonio partit comme une flèche et…

1. … **plongea** au fond de la mer à toute vitesse,

2. … *ÉVITA* des récifs à la dernière seconde (chaque fois, je crus que nous allions nous écraser dessus !),

3. … **SE FAUFILA** dans des courants marins qui nous entraînaient de haut en bas comme si nous

Je veux desceeendre !!!

étions de menues brindilles à la merci des vagues…
Scouiiit ! J'eus aussitôt un horrible MAL DE MER !
Par chance, au bout d'une heure, il **freina** brusquement, jeta un coup d'œil au compteur et cria :
– Nous sommes arrivés à CORAILROSE ! Ça
fait trente-quatre coquillages ! Plus le pourboire… et
ne soyez pas radins, hein !

Le royaume d'Aquaria

À LA RECHERCHE
DE CŒURDECORAIL

1. GRANDE BARRIÈRE DE CORAIL
2. CORAILROSE
3. RÉCIF MYSTÉRIEUX
4. HIPPOCAMPODROME
5. TOTHONE
6. ROCHER DES TORTUES
7. GRANDE PLAINE DES POSIDONIES
8. ANTRE SECRET DES MURÈNES MORDANTES
9. FALAISE ÉLECTRISANTE
10. LUNA PARK FRISSON-BLEU
11. GROTTE DU TRÉSOR PERDU
12. POULPOPOLIS
13. BALEINOPOLIS
14. MÉDUSOPOLIS
15. REQUINBOURG
16. BOURG ANCHOÏADE
17. BAIE SARDINIÈRE
18. FIRMAMENT
19. GROTTE DU BLEU PROFOND
20. FORÊT DES ALGUES ASPHYXIANTES
21. BOIS DES ANÉMONES DE MER

Le royaume d'Aquaria

ESSAIE DE PRENDRE UNE TÊTE DE PLOMBIER

Tandis que, ému, je contemplais CORAILROSE, en me rappelant les aventures fantastiques que j'y avais vécues lors de mon précédent voyage, Grustave disparut dans la Grustaville. Il en ressortit peu après avec une poignée de *coquillages*, que Thonio fit disparaître sous sa nageoire gauche sans tarder.

Puis nous nous *DIRIGEÂMES* vers l'entrée du palais où nous attendait la Fée Aquaria*, qui annonça à haute voix, en clignant de l'**ŒIL** :

– Ah, vous voici enfin ! Vous êtes les plombiers, n'est-ce pas ? Vous êtes venus réparer le robinet qui fuit, n'est-ce pas ?

Elle chuchota ensuite :

– Le **Mage de la Perle noire** a des espions partout, même ici, et il ne faut pas que leurs soupçons se portent sur vous ! Je sais ce que vous **CHERCHEZ**... mais nous en parlerons dans un endroit plus sûr !

* Geronimo a rencontré la Fée Aquaria dans le Royaume des Sirènes.

62

Grustave comprit aussitôt et répondit à voix HAUTE, en me faisant un clin d'œil à son tour :

– Oh, mais bien sûr, Fée Aquaria, nous sommes les PLOMBIERS !

Puis il sortit de la Grustaville une casquette et une combinaison de plombier qu'il me fourra dans les PATTES.

– Tiens, *Chose*. Mets ça par-dessus ton armure et essaie de prendre une tête de plombier !

Je n'avais pas la moindre idée de ce qu'était une « tête de plombier », et c'est pourquoi j'enfilai la combinaison **À TOUTE VITESSE** et m'efforçai d'improviser :

– Euh, ne vous inquiétez pas, madame, nous nous occupons de tout, nous sommes... euh... **PLOM-BIERS** ! Dites-nous juste où se trouve la baignoire ! Vous allez voir... euh... tout sera réparé en moins de temps qu'il n'en faut pour le dire !

Aquaria nous précéda dans les **couloirs** de Corailrose et nous la suivîmes, en tâchant de garder un air indifférent.

Comme dans le souvenir que j'avais gardé de mon précédent *voyage,* c'était un va-et-vient incessant de petites Fées qui fréquentaient l'Académie féerique pour apprendre les arts des Fées.

Une foule d'élèves se rendait dans les salles de classe pour assister aux **cours**, tandis que d'autres bavardaient dans les couloirs, échangeant les derniers potins, et que d'autres lançaient des **REGARDS** à Aquaria. Mais aucune ne fit attention à nous.

On nous prenait pour de vrais plombiers !

Lorsque nous arrivâmes en vue de la salle de bains,

Aquaria s'arrêta et, après nous avoir adressé un signe de connivence, elle lança en l'air une poudre irides-cente et murmura une formule féeriste :

– « *Que nos doubles continuent d'apparaître, pendant que nous... commençons à disparaître !* »

Magie de Fée !

Aussitôt, nous nous **DÉDOUBLÂMES**!
Oui, vous avez bien compris! Devant nos yeux se formèrent des copies exactes de Grustave, d'Aquaria et de moi, qui continuèrent à suivre le couloir en direction de la salle de bains, tandis que nous, je veux dire les vrais, nous étions devenus TRANS-PARENTS comme l'air! C'est alors que je remarquai une Fée cachée derrière une colonne, qui épiait

Suivez-moi...

Ha, ha!

nos doubles en jouant avec un très long collier de PERLES luisantes.

Lorsque nos doubles se furent éloignés de quelques pas, la Fée commença à les suivre sans s'apercevoir de notre présence, puisque nous étions devenus INVISIBLES ! Aquaria attendit que la Fée disparaisse au coin du couloir, puis nous fit signe de pénétrer dans la bibliothèque.

LE POUVOIR OBSCUR DU MAGE

Aquaria entra la dernière dans la bibliothèque, prit un chandelier d'argent à trois branches, alluma les chandelles et commença à scruter le moindre recoin. Grustave et moi, désormais à l'abri des regards ENNEMIS, nous nous débarrassâmes des déguisements de plombier et, petit à petit, nos corps redevinrent VISIBLES.

Je jetai un coup d'œil à l'immense salle VOÛTÉE, aux murs tapissés de livres de toutes formes, de toutes couleurs et de toutes dimensions. Je vis des alignements de petits bureaux, des pupitres et d'innombrables rouleaux de parchemin, rangés dans des paniers tressés. Sur une table étaient disposés de nombreux sceaux et la cire pour cacheter les parchemins. Des **lampes**, des *lanternes*, des chandeliers et des bougies étaient à disposition pour qu'on puisse lire même la nuit.

Nous voici dans la bibliothèque !

Quelle merveille !

LA BIBLIOTHÈQUE DE CORAILROSE

1. Lampes pour la lecture
2. Cartes des royaumes sous-marins du royaume de la Fantaisie
3. Encyclopédies sur les monstres des profondeurs
4. Dictionnaires de toutes les langues fantaisiques
5. Tables de lecture
6. Cartes nautiques des Sept Mers
7. Inventaires des poissons, mollusques et cétacés

Quand elle se fut bien assurée que personne n'était caché dans la ⓑⓘⓑⓛⓘⓞⓣⓗⓔⓠⓤⓔ, Aquaria murmura :

– Vous comprenez les raisons de toutes ces précautions, j'imagine. Le Mage de la Perle noire a des espions partout... Hélas, son pouvoir est aussi grand que ses richesses ! Au cours des mille années où il est resté PRISONNIER au fond du gouffre des Mystères, il s'est allié avec le peuple des Huîtres ! En échange du POUVOIR, elles lui ont livré toutes les perles qu'elles produisaient dans les Sept Mers du royaume de la Fantaisie.

Grustave laissa échapper une PLAINTE :

– Elles sont PERFIDES, ces Huîtres !

La Fée poursuivit d'un air sombre :

– Le Mage a accumulé une énorme quantité de PERLES avec lesquelles il est en train de corrompre les créatures les plus avides : il paie ses espions en leur donnant leur poids en perles ! Avez-vous remarqué le collier au cou de la Fée ESPIONNE ? Il est évident qu'elle a déjà reçu sa rétribution pour sa mauvaise action...

Elle retrouva heureusement le sourire et s'exclama :

– Mais assez de pensées **TRISTES** ! Vous avez pu arriver jusqu'ici : cela signifie que votre mission commence bien !

Puis elle s'adressa à moi :

– Chevalier, je vais vous remettre le **PREMIER TALISMAN**. Il m'a été donné, il y a des siècles et des siècles, par Floridiana en personne. Notre reine craignait que quelque personne **MALIN-TENTIONNÉE** utilise un jour l'énorme pouvoir de la chaîne des sept talismans à de mauvaises fins. Elle détacha donc les talismans de la chaîne et les dispersa en différents endroits du royaume, les confiant à des gardiens sûrs et loyaux.

Elle ajouta fièrement :

– Je suis la gardienne du premier talisman : **Cœurdecorail**, le petit cœur en corail rouge symbole de l'amour que nous devons avoir pour tous, pour nos amis comme pour nos ennemis.

J'acquiesçai :

– Vous avez raison, Aquaria, quel mérite y a-t-il à n'*aimer* que ceux qui nous aiment ?

La Fée fureta alors longuement parmi les livres aux reliures décolorées par le temps, en marmonnant :

– Voyons voir… A comme Amour… ça doit être par
là… ah, voici !

Elle prit sur une étagère un livre à la reliure rouge,
sur laquelle était imprimé en lettres dorées le titre :

AMOUR, LA SOLUTION
À TOUS LES PROBLÈMES
DU MONDE

Je ne pus cacher ma surprise, Aquaria
sourit et ouvrit le livre.

À l'intérieur, au centre des pages, avait
été creusé un espace dans lequel se
trouvait un petit **cœur** de corail
rouge suspendu à une précieuse
chaîne en or. Quelle cachette
ingénieuse !

La Fée me le remit avec respect, en
disant :

– Prenez-en soin, Chevalier.

– Je le défendrai au prix de ma vie,
promis-je. Parole de Stilton, parole
de Chevalier des Sept Mers !

CŒURDECORAIL

Le premier talisman

Cœurdecorail est un précieux petit cœur de corail. Il y a bien des années de cela, Floridiana l'a donné à la Fée Aquaria pour qu'elle le conserve dans un endroit secret du château de Corailrose. Symbole d'amour, Cœurdecorail est le premier talisman de la chaîne des sept talismans. Il a le pouvoir de révéler l'amour qu'il y a dans le cœur des gens, changeant de couleur selon la force de l'amour que chacun peut donner : du rose pâle pour qui ne sait pas aimer jusqu'au rouge vif pour qui sait tout donner par amour.

CHEVALIER, VOUS N'AVEZ PAS BESOIN D'UN MOUCHOIR ?

Grustave soupira, IMPATIENT :

– Alors, *Chose*, tu as fini ? On y va ? Allez, EN ROUTE !

Je me tournai vers la Fée pour lui dire au revoir.

– Fée Aquaria, je vous remercie d'avoir fidèlement veillé sur le précieux Cœurdecorail. Je vous promets que je ferai tout pour le remettre à la reine Floridiana, avec les six autres talismans.

J'étais tout content : après tout, il n'avait pas été difficile de trouver le premier !

Mais la Fée refroidit aussitôt mon enthousiasme, en me mettant en garde :

– Attention, Chevalier ! Il ne sera pas aussi *facile* de trouver les prochains talismans. Vous devrez affronter de grands dangers, parce que le Mage de la Perle noire essaiera de vous arrêter par tous les MOYENS. Et lorsque vous rencontrerez les prochains gardiens, vous devrez **triompher** d'épreuves très **difficiles** pour prouver que vous êtes vraiment le Chevalier des Sept Mers. En outre, il est possible que certains d'entre eux refusent de vous remettre les **TALISMANS**... Après tout, il s'est écoulé tant d'années depuis que Floridiana les leur a confiés et bien des choses peuvent avoir **CHANGÉ**! Enfin, une fois que vous aurez récupéré les talismans, il faudra encore veiller à ce qu'ils ne vous soient pas dérobés par les **ESPIONS** du Mage!

À mesure que la Fée parlait, mon humeur passait de l'**ENTHOUSIASME** le plus total au désespoir le plus absolu. À la fin, j'étais prêt à fondre en sanglots. D'ailleurs, Grustave, qui s'était mis à farfouiller dans sa coquille, me chuchota, impassible :

– *Chose*, c'est-à-dire... Chevalier, vous n'avez pas besoin d'un mouchoir?

Je secouai la tête et murmurai :

– Non...

Mais, je peux bien vous le dire : la seule raison pour laquelle je ne pleurais pas, c'est qu'un **CHEVALIER DES SEPT MERS** ne peut pas pleurer !

Gloub!

LES DIX DEGRÉS DU DÉSESPOIR D'UN CHEVALIER SANS PEUR ET SANS REPROCHE (OU PRESQUE!)

Tout va se passer à merveille!

Je sens que tout va bien se passer.

Ça va bien se passer.

Ça devrait aller

Ça pourrait être moins facile que je ne croyais...

Euh... comment ça va se passer?

J'ai l'impression que ce sera dur...

Scouit, je n'y arriverai jamais!!!

Aïe aïe aïe, ça va être assez dur...

Hum, ça sera vraiment dur...

Je crois que la Fée comprit mon désespoir, car elle me *CONSOLA* :

– Chaque talisman récupéré pourra vous aider dans votre *mission*, car chacun a un pouvoir différent. Par exemple, **Cœurdecorail** a le pouvoir de révéler l'amour que contient le cœur des gens !

Fasciné, je le pris dans la patte, tandis qu'il devenait rouge vif et qu'une inscription en alphabet fantaisique* **BRILLAIT** à la surface. Je ne me lassais pas de fixer ces mots, pour essayer de les traduire…

* Tu trouveras l'alphabet fantaisique page 320.

Enfin, je parvins à lire :

L'amour triomphe de tout

C'est alors que Grustave me pinça la queue : je SUR-SAUTAI.

– Qu'y a-t-il ? le questionnai-je.

Il soupira :

– Allez, *chosons*, Chose, je veux dire : partons !
Dépêche-toi, le **poulpe-montgolfière** nous
attend et nous avons encore un tas de *choses* à
choser !

– Le poulpe... quoi ? demandai-je, **INTRIGUÉ**.

Grustave n'eut pas le temps de me répondre : je
sentis que quelqu'un me tapait sur l'épaule : **TOC
TOC !**

Mais qui...?

Allez, chosons !

Je me retournai et vis un *énorme* poulpe **VIOLET**, avec d'*énormes* **YEUX** globuleux et de très longs tentacules munis d'*énormes* ventouses. Et l'un de ces *énormes* tentacules me tapotait l'épaule ! **ARGH !** J'eus à peine le temps de me mettre autour du cou la chaîne d'**Or** et d'y enfiler le premier talisman que déjà Grustave me poussait dans une nacelle d'osier semblable à celle d'une **MONTGOLFIÈRE**… Une seconde plus tard, nous décollions. Ou, plutôt, nous remontions à la surface de la **mer**, puisque nous nous trouvions au fond, mais j'avais vraiment l'impression que nous étions en train de nous envoler…

NOUS MONTÂMES MONTÂMES MONTÂMES

tandis qu'autour de nous l'eau s'éclaircissait, jusqu'à ce que nous arrivâmes à la surface, émergeant dans la lumière du SOLEIL.

Mais nous étions encore en pleine mer.

– Comment donc allons-nous atteindre la rive ? m'inquiétai-je.

Le bernard-l'ermite marmonna :
– Eh bien, tu vas découvrir ça tout de suite…
En effet, tout de suite après, en appliquant un vigou-
reux **COUP DE PIED** dans mon arrière-train
et dans l'arrière-coquille de Grustave, le **POULPE**
nous expédia sur la rive.
J'atterris sur le sable et me relevai tout cabossé.
– Ouille, ouille, ouille, heureusement que c'est une
plage de sable et pas de **GALETS**…
Grustave me révéla :
– *Chose*, nous sommes dans le **DÉSERT DES MILLE
YEUX ET DES MILLE OREILLES** ! C'est ici
que nous allons devoir chercher les Mains qui se
serrent, le prochain talisman. Il ne sera pas facile de
le retrouver : celle qui veille sur lui est une gardienne
dont personne ne connaît l'apparence. On sait seu-
lement qu'elle est appelée l'**AÏEULE** et qu'elle ne
reste jamais longtemps au même endroit…
J'observai l'étendue de **SABLE**.
– Voilà donc le désert des Mille Yeux et des Mille
Oreilles…
Le bernard-l'ermite murmura :
– *Chose*, il faut que je te parle seul à seul !

– Parle donc, dis-je en indiquant le désert qui nous entourait. *On ne peut pas être plus seul que ça !*

Mais il cria :

– Enfin, quand je dis que je veux te parler **SEUL** à **SEUL**, cela signifie que je ne veux pas que **Q-U-E-L-Q-U'U-N** nous **É-C-O-U-T-E** !

Il baissa la voix pour que moi seul puisse l'entendre :

– Ne te *chosie* pas aux *chosences* ! Je veux dire : ne te fie pas aux **apparences**. Ici aussi sont cachés des espions du Mage de la Perle noire. Suis-moi. Je vais te montrer la carte de ce royaume…

Et, sur ces mots, il disparut à l'intérieur de la Grustaville.

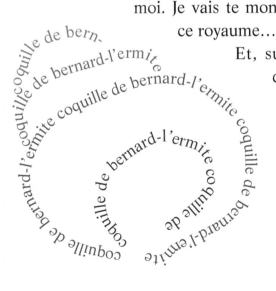

LE DÉSERT
DES MILLE YEUX
ET DES MILLE OREILLES
À LA RECHERCHE
DES MAINS QUI SE SERRENT

1. PISTE DU TRAÎNARD
2. GORGE DU VENT BRÛLANT
3. CHAÎNE DE MONTAGNES DES OS-DÉCHARNÉS
4. MONTCRÂNE
5. PLAINE DES ASSOIFFÉS
6. SENTIER DU DÉSESPOIR
7. LE RIEN
8. ESPLANADE DES BOULES D'ÉPINES
9. AMPHITHÉÂTRE DU GÉANT DE PIERRE
10. PLAINE DU DÉFI PERDU D'AVANCE

LE DÉSERT DES MILLE YEUX ET DES MILLE OREILLES

LE DÉSERT DES MILLE YEUX ET DES MILLE OREILLES

Dès que je fus entré à mon tour, Grustave cria :
– Tu t'es bien frotté les pattes sur le **PAILLAS-SON**, *Chose* ? Je suis très à cheval sur la propreté, tu sais ! Et fais attention dans l'escalier ! Ne **dérape** pas, j'ai ciré le parquet ! Et attention aussi au…
Je m'essuyai les pattes sur le paillasson, fis attention dans l'escalier et ne dérapai pas sur le parquet, mais… je me cognai la tête contre un **ANGLE** !
Grustave agita ses pinces, surexcité.
– Et voilà, je le savais, pourtant, que tu te *choserais* l'angle dans le mille ! Que cela ne t'empêche pas de t'asseoir, je vais t'apporter un coulis d'algues. Étant donné que tu es une souris, j'y ai mis un peu de **ROQUEFORT**, qu'en penses-tu, *Chose* ? Et j'ai aussi des *chosines* de *chosectaire*… je veux dire : des tartines de saint-nectaire !

Surpris et **ravi**, je m'assis à table et sirotai le coulis en grignotant de délicieuses tartines. Puis Grustave me mit sous les yeux la carte du DÉSERT DES MILLE YEUX ET DES MILLE OREILLES et dit en désignant de la pince l'extérieur de la coquille :

– Dehors, il y a mille YEUX et mille OREILLES prêts à nous espionner.

Je couinai :

– Voilà d'où vient le nom de ce désert !

Grustave remarqua, moqueur :

– Félicitations, *Chose*, tu as gagné le PRR (prix du raisonnement rapide) ! Dès que nous sortirons, le moindre **CAILLOU** épiera nos gestes et nos paroles. Nous devrons faire *trèèès* attention à ce que nous disons, mais j'ai déjà une idée. Je vais te l'apprendre !

Nous communiquerons à l'aide d'un code secret !

Il se mit à me PINCER le nez, à me faire des grimaces, à me cogner ses pinces sur le crâne et à me hurler des phrases insensées dans les oreilles… Pauvre de moi, quel cauchemar !

LE CODE SECRET DE GRUSTAVE

Ouille !!

Quand je te tambourine sur la tête avec mes pinces, ça veut dire : « Quelqu'un nous écoute ! »

Hein ?!?

Quand je te pince le nez, ça veut dire : « C'est exactement ce que je te dis ! »

Aïe !

Quand je te fais une grimace, ça veut dire : « C'est le contraire de ce que je dis ! »

Attention !

Mais...

Quand je crie « ATTENTIOOON ! », ça veut dire : « Tout va bien ! »

Parfait !

Quoi ?

Quand je dis « PaRFait ! », ça veut dire : « Danger en vue ! »

– Maintenant, allons faire un peu de pratique ! s'exclama-t-il en me tambourinant sur le crâne avec ses pinces.

– Euh... quelqu'un nous écoute ?

– Bravo, tu apprends vite, *Chose* !

Mais quand il me cria « Attention ! », je regardai autour de moi, **INQUIET**, parce que je ne me souvenais pas que cela voulait dire « Tout va bien ». **QUEL CAUCHEMAR !**

Lorsque nous sortîmes de la Grustaville, nous fûmes enveloppés par un air **TORRIDE**. Sous nos pattes, le sable était brûlant, mais nous ne pouvions pas nous

arrêter et nous nous enfonçâmes dans le désert, à la recherche de la gardienne du second talisman.

Autour de nous, le paysage était ÂPRE et désolé : ce n'était qu'une étendue désertique et **CAIL-LOUTEUSE** ! J'avais l'impression d'être constamment épié par mille petits yeux cruels... Parfois, je trébuchais sur un caillou et il me semblait qu'il s'était DÉPLACÉ au dernier moment pour me faire tomber ! Nous suivîmes longuement la piste de Traînard. **AÏE, AÏE, AÏE,** quelle route ! Puis nous nous engageâmes dans la gorge du Vent brûlant et traversâmes la chaîne de montagnes des Os-Décharnés : c'étaient peut-être les OSSEMENTS

des voyageurs malchanceux ? Brrr… quelle frousse
féline ! Nous escaladâmes alors
le Montcrâne, une montagne
effrayante à la cime
LISSE et **ARRONDIE**
comme un crâne. Enfin,
épuisés, nous attei-
gnîmes le sentier

Courage, Chose !

Je n'en peux plus..

du Désespoir… Je compris bien vite pourquoi il s'appelait comme ça.

Il conduisait au cœur du DÉSERT, dans une région désolée où il n'y avait plus ni buissons, ni cailloux, ni animaux : c'est pourquoi ça s'appelait le RIEN. Nous décidâmes de nous y arrêter pour la nuit, et nous sombrâmes dans un Profond sommeil agité de terribles cauchemars. Le plus terrifiant fut celui où le Rien engloutissait tout.

Je me réveillai à l'AUBE, pas moins fatigué et inquiet, et nous nous remîmes aussitôt en route. Un sentiment de DÉCOURAGEMENT commença à me gagner : comment pouvions-nous trouver quelqu'un sur lequel nous ne savions rien ?

Ccc'est qui, cccelui-là, qui sss'en prend à moi ?

Nous continuâmes à **marcher** jusqu'à une vaste étendue de sable et de rochers, parsemée de boules de buissons ÉPINEUX.

Grustave me prévint :

– *Chose*, nous sommes sur l'esplanade des Boules d'épines : crois-moi, il vaut mieux se mettre à **COURIR** et ne pas s'arrêter, sinon c'est fini pour toi !

Au même instant, le **VENT** se leva et il me sembla entendre un sifflement de colère :

Ccc'est qui, cccelui-là, qui sss'en prend à moi ?

Je me mis à courir vers le bout de l'esplanade, suivi par les boules ÉPINEUSES qui rebondissaient, poussées par le vent. Dans un effort inouï, j'escaladai un plateau ROCHEUX où les buissons d'épines ne purent pas me rattraper.

J'avais **réchappé** à cette première épreuve ! Et je pouvais dire merci à Grustave !

J'allais le faire, mais il m'encouragea à **POURSUIVRE** sans tarder jusqu'à l'amphithéâtre du Géant de pierre. Après des heures de marche, nous arrivâmes sur une gigantesque esplanade naturelle aussi grande qu'un stade, encerclée par de hautes falaises escarpées. Cet endroit m'inspirait un sentiment d'APPRÉHENSION et je ne comprenais pas pourquoi.

Au secouuuuuurs !

Cours, Chose, couuurs !

J'avançais précautionneusement, lorsque j'entendis un bruit de **pierres** qu'on remue… Scouiiiit ! Les pierres autour de moi commencèrent à ROULER, se rassemblèrent au centre de l'amphithéâtre et, peu à peu, formèrent quelque chose qui ressemblait à un **MONSTRUEUX** guerrier de pierre ! Un énorme rocher arrondi se plaça juste au sommet du monstre, pour lui servir de tête, puis le guerrier se tourna lentement vers moi, en grondant d'une voix profonde :

– **CCC'EST QUI, CCCELUI-LÀ, QUI SSS'EN PREND À MOI ?**

Grustave me cria :

– Voici la deuxième épreuve, *Chose* ! Ne pense pas qu'il est grand et gros et que tu es **petit** et **faiblard**, ne pense pas que c'est un guerrier entraîné au combat et que tu n'es qu'un intello qui ne fait même pas de **gymnastique** le matin, ne pense pas que l'endroit où tu te trouves a été nommé l'amphithéâtre du Géant de pierre… Affronte cette tête de gravier, allez ! Tu es un Chevalier, oui ou non ?

Mais le monstre se mit à me poursuivre à grandes enjambées, ses pas faisaient TREMBLER le sol et je fuyais en hurlant :

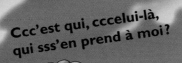

Ccc'est qui, cccelui-là,
qui sss'en prend à moi?

Scouiiiiiit!

Il est é-é-énorme....

Tu ne m'échapperas pas!

– AU SECOUUURS...

Grustave marmonna :

– Si je n'étais pas là, *Chose*, tu serais déjà transformé en pâtée pour les vautours.

Puis il déroula et lança un LASSO d'algues tressées, qui s'accrocha à un rocher de l'autre côté du sentier.

Le monstre BONDIT en avant... mais au même moment Grustave tendit la corde et le géant TRÉBUCHA dessus

Je m'en occupe!

et perdit l'équilibre. L'immense **MASSE** de pierre s'inclina au-dessus de moi, projetant à terre une **OMBRE** gigantesque. Au dernier moment, je me jetai de côté, pendant que le géant s'écroulait au sol, explosant en mille **CAILLOUX**.

Je murmurai, épuisé :

– Merci, mon ami, tu m'as sauvé la vie pour la seconde fois !

C'est alors que j'entendis de nouveau une voix qui disait :

– CCC'EST QUI, CCCELUI-LÀ, QUI SSS'EN PREND À MOI ?

Au secouuurs !!!

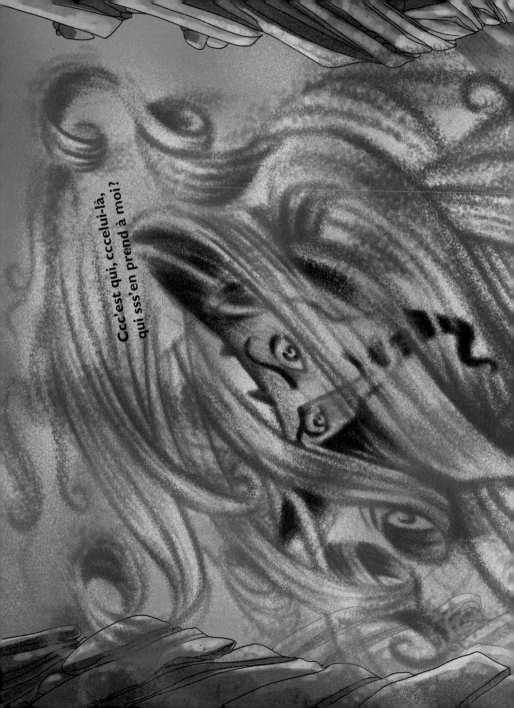

Ccc'est qui, cccelui-là, qui sss'en prend à moi ?

Je levai le museau et le spectacle que je découvris me laissa bouche bée.

Je compris que la voix sortait d'une **TROMBE D'AIR** qui venait de se lever ! Du sable tournoyait dans une SPIRALE de plus en plus large, qui voilait la lumière du soleil. Lentement, un visage se forma dans le TOURBILLON de sable, avec une bouche et des yeux menaçants qui me fixaient avec **FÉROCITÉ**.

Puis la bouche s'ouvrit et il en sortit un tourbillon de sable qui m'enveloppa et m'AVEUGLA. C'est alors que le bernard-l'ermite ouvrit brusquement la porte de sa *coquille* et me cria :

– Entre, *Chose* ! Et vite, si tu veux survivre à la troisième épreuve !

Je bondis à l'intérieur, tandis qu'il claquait la porte dans mon dos.

Oufff... il s'en était fallu d'un poil de moustache !

Dehors, la TEMPÊTE de sable faisait rage, mais dans la coquille nous ne courions plus aucun danger.

Le bernard-l'ermite balaya méticuleusement les

grains de sable que j'avais introduits à l'intérieur, collés à mes pattes, en soupirant :

– C'est que je suis à cheval sur la propreté, moi !

Je murmurai :

– *Merci, mon ami ! Aujourd'hui, tu m'as sauvé la vie trois fois de suite !*

Je ne supporte pas le sable !

DE L'EAU ! DE L'EAU !
DE L'EAU !

Réfugiés dans la Grustaville, nous attendîmes que le vent s'arrête de **MUGIR**, que le sable cesse de tourbillonner et que la tempête s'apaise. Quand le **silence** revint, nous sortîmes de la coquille : tout était redevenu tranquille. Mais le **SABLE** de la tempête avait recouvert tous les points de repère du paysage et nous n'arrivions plus à nous orienter. Nous nous mîmes à errer sous un soleil **BRÛLANT**, de plus en plus fatigués, de plus en plus assoiffés et de plus en plus découragés.

Grustave but toute sa provision d'eau, puis se plaignit en haletant :

– **De l'eau, de l'eau, de l'eau !** Je suis une créature marine, moi, j'ai besoin d'eau !

Je lui donnai ma gourde.

– Tiens, mon ami bernard-l'ermite, tu en as plus besoin que moi !

Il but en me remerciant, **ÉMU** :

– Merci, mon ami, maintenant, c'est toi qui me sauves la vie !

Mais la situation était **GRAVISSIME** et, hésitant sur ce qu'il fallait faire et le cœur plein de désespoir, nous essayâmes de nous ABRITER à l'ombre d'un rocher qui se soulevait au-dessus du sable.

Il ne restait qu'une seule GOUTTE d'eau dans la gourde. J'allais la boire, lorsque, devant moi, je découvris une petite **plante** qui, mystérieuse-

C'est notre dernière goutte d'eau…
La situation est désespérée !

ment, avait réussi à pousser dans le désert. Elle ne pouvait pas parler, mais il suffisait de la regarder pour comprendre qu'elle avait bien plus soif que moi : sa tige était *courbée*, ses feuilles étaient sèches et flétries, et la fleur qui se trouvait au bout traînait sur le sol. Apitoyé, je versai la dernière goutte d'eau dessus. Émerveillé, je vis que la plante reprenait peu à peu des forces. C'est alors que j'entendis un étrange murmure... comme un CHUCHOTEMENT qui semblait venir du sol. Je me penchais et collais l'oreille par TERRE. Ce murmure était tel un chœur de *milliers*, ou plutôt de *millions*, ou plutôt de *milliards* de petites voix qui chuchotaient ensemble :

Trois obstacles vous avez surmontés,

Trois ennemis vous avez semés :

Boules d'épines, Géant de pierre, tempête de sable,

Vous avez vaincu la colère du Mage détestable...

Puisque vous savez honorer l'amitié,

Nous ne vous aiderons pas qu'à moitié !

Je me rendis compte que c'étaient tous les grains de SABLE du désert qui parlaient. Grustave s'écria, plein d'admiration :

– *Chose*, j'ai compris ! La gardienne du désert des Mille Yeux et des Mille Oreilles a mis à l'épreuve notre sens de l'**amitié** ! En nous aidant tour à tour et en aidant les plus faibles, comme cette petite plante, nous avons réussi l'épreuve ! Mais où peut bien être la **GARDIENNE** ?

Le chœur poursuivit :

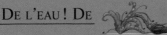

SI VOUS VOULEZ CONQUÉRIR LE DEUXIÈME TALISMAN,
VOUS POUVEZ LE FAIRE MAINTENANT...
LA RÉPONSE SE TROUVE EN DESSOUS,
C'EST FACILE COMME TOUT !

Je regardai AUTOUR de moi, sans voir personne. Mais, une seconde plus tard, le sol commença à trembler sous nos PATTES et se souleva. Une petite colline se forma ainsi, d'où sortit TRÈÈÈS LENTEMENT une énorme tête qui se tourna TRÈÈÈS LENTEMENT vers moi et se mit à parler TRÈÈÈS LENTEMENT d'une voix rauque et profonde :

– Qui êtes-vous, voyageurs ?

Puis deux yeux brillants s'ouvrirent et c'est alors seulement que je compris que cette tête était celle d'une énorme tortue... et que ce que j'avais pris pour une petite colline était en réalité son énorme carapace !

La **TORTUE** poursuivit, en s'adressant à moi :
– Qui es-tu, toi qui as réveillé de son sommeil cente-
naire la gardienne du DEUXIÈME TALISMAN ?
À ces mots, je lui montrai la BAGUE avec le sceau
de Floridiana.
– Je suis celui qui recherche les sept talismans au
nom de *Floridiana,* la reine des Fées !
La tortue me dévisagea longuement.
– Tu es un voyageur très courageux et au grand
CŒUR. Tu as surmonté les trois obstacles et tu as
prouvé que tu savais ce qu'est l'amitié en donnant ta
dernière goutte d'eau à la plante. Aussi, le deuxième
talisman est pour toi… Prends-le, tu es digne de le
recevoir ! Mais promets de le défendre toujours de
ses ennemis, des espions, et surtout du Mage de
la Perle noire !
Les pattes tremblantes d'émotion, je pris le talisman
que la tortue me tendait et je l'accrochai à la *chaîne
d'or* à côté de Cœurdecorail.
Au fond de moi, j'espérais que les autres talismans
rejoindraient très vite les deux premiers.
Comme si elle avait lu dans mes **PENSÉES**, la
tortue dit :

LES MAINS QUI SE SERRENT
Le deuxième talisman

Conservé dans le désert des Mille Yeux et des Mille Oreilles par l'Aïeule, encore nommée Celle qui n'Est pas Ce qu'Elle Paraît et qui n'Est Jamais au Même Endroit, c'est-à-dire la Grande Tortue Gardienne, ce talisman est un symbole de fraternité. En effet, dans le royaume de la Fantaisie, tout le monde doit venir en aide à celui qui porte les Mains qui se serrent et prononce la formule : «Toi et moi, nous sommes frères!» Le talisman est également un laissez-passer : celui qui le porte a l'autorisation de traverser n'importe quel territoire.

– Tu trouveras le troisième talisman dans la vallée de l'Arc-en-ciel.

Je la remerciai et repartis avec Grustave, le cœur plein d'espoir…

Bon voyage, Chevalier !

Bravo, Chose !

La VALLÉE de l'ARC-EN-CIEL

À LA RECHERCHE DU
MÉDAILLON DU SOLEIL
ET DE LA LUNE

1. COLLINE DES DOUX-RÊVES
2. LAC DU REFLET CHANGEANT
3. FORÊT BARIOLÉE
4. VILLAGE DES GNOMES NEZ-ROUGE
5. FABRIQUE DE JUS DE POMME
6. CHAMPS DU SOURIRE
7. MAISON DES LUTINS PEINTRES

PAPILLACHE,
LA VACHE-PAPILLON

Nous nous remîmes en ROUTE et marchâmes jusqu'au soir, où le bernard-l'ermite se mit à SOU-PIRER d'un air sombre :

– *Chose*, cette fois, ça s'est bien passé, nous avons survécu... mais maintenant, ah! combien de dangers allons-nous rencontrer? Combien d'ennemis? Combien d'ennuis?

J'essayai de ne pas me laisser gagner par le découragement et suggérai :

– Pour voyager de manière plus sûre et plus rapide, j'aurais besoin d'une monture enchantée... un Dragon ou une Licorne, par exemple! Pourquoi ne prends-tu pas le Grustavophone pour demander à Floridiana qu'elle nous envoie l'un d'eux?

Le bernard-l'ermite secoua la tête.

– *Chose*, on ne trouve ni Licorne ni Dragon dans la région!

Mais, soudain, il s'écria :

– J'ai une idée ! Que dirais-tu d'une... **VACHE VOLANTE ?**

– Ne te moque pas de moi, les vaches ne volent pas !

– Eh bien, en fait, j'en vois une juste derrière toi !

Convaincu qu'il plaisantait, je me retournai et... poussai un **cri** de surprise en découvrant la vache la plus bizarre qu'on puisse **imaginer** !

Pas de doute, c'était bien une vache. Elle avait des cornes, des sabots et une queue de vache ! Mais elle avait un pelage avec des taches **MULTI-COLORES** comme des ailes de papillon, ses cornes étaient violettes et ses sabots dorés brillaient. Et, tout comme un papillon, elle avait, attachées sur le dos, des ailes multicolores qui lui permettaient de **voleter** de-ci de-là dans la lumière rosée du couchant. Pour couronner le tout, elle portait un collier de **FLEURS** rouges.

Grustave hurla :

– C'est exactement ce dont nous avons besoin ! Je me charge de l'attraper avec mon **LASSO**, *Chose* !

Cependant, quand elle comprit que nous essayions de la capturer, l'étrange créature s'éloigna en volant,

ne se retournant que
pour nous faire une
grimace.

J'eus alors une idée !
Je pris le DEUXIÈME
TALISMAN et le lui
montrai, en prononçant
la FORMULE pour
lui demander son aide :

– Mon amie, s'il te plaît,
aide-nous au nom du talisman
de l'amitié. Toi et moi, nous sommes
frères !

Elle écarquilla les YEUX et meugla :

– Meuuuh ! Ça change touuut ! Si tu
as les Mains qui serrent, je t'aide-
raiiiii !

Légère comme la brise, la vache
se posa. Pendant ce temps,
Grustave avait récupéré
dans la Grustaville
un livre intitulé :

Prrr !

Ah, reviens !

LES HABITANTS DU ROYAUME DE LA FANTAISIE, CLASSÉS PAR PAYS, NOMS, PRÉNOMS, SURNOMS, HABITUDES ET AUTRES CARACTÉRISTIQUES.

Il le **FEUILLETA** rapidement et marmonna :

– Hum, voilà ! J'ai compris ! Tu dois être Papillache, la vache-papillon, n'est-ce pas ?

Elle meugla :

– **MEUUH !** C'est juuuste ! Dites-moi où vous allez et je vous y conduirai d'un battement d'ailes !

Pendant que Papillache nous faisait monter sur son dos, Grustave consulta la CARTE du royaume de la Fantaisie.

– Nous devons chercher le *chose*... le Médaillon du Soleil et de la Lune, qui se *chose*... se trouve dans la Vallée de l'Arc...

Le bernard-l'ermite n'eut pas le temps de terminer sa phrase que la vache avait déjà pris son envol et se dirigeait vers les nuages. D'une patte, je m'accrochai à ses cornes pour ne pas tomber, et de l'autre j'attrapai Grustave qui criait encore :

– ... *en-ciececel* !

La vache continua de monter, nous traversâmes une couche de **NUAGES** et découvrîmes la lune et les étoiles qui avaient fait leur apparition dans le ciel. Papillache tourna ses cornes en direction de la vallée de l'Arc-en-ciel et, d'une voix *douce*, nous conseilla :

– Meuuuh ! Il fait très froid au-dessus des nuuuages, couvrez-vous bien.

Grustave disparut dans sa coquille, et reparut avec une couverture de laine **moelleuse** dans laquelle nous nous enveloppâmes.

Durant le vol, je demandai à notre nouvelle **amie** :

– S'il te plaît, Papillache, raconte-moi ton histoire...

Et la vache se mit à raconter...

Histoire de Papillache, la vache-papillon

Tout est arrivé il y a bien longtemps, par une belle journée ensoleillée où la brise caressait les brins d'herbe d'une grande prairie. Je venais de brouter un carré de trèfle et j'étais occupée à admirer les papillons qui voletaient autour de moi. Oh, j'aurais tant aimé être aussi légère qu'eux ! J'aurais tant aimé pouvoir voler, moi aussi ! Les papillons étaient très colorés, délicats et légers comme un souffle de vent… Moi, au contraire, j'étais une grosse vache à la robe blanche tachée de noir. Pendant que je ruminais ces pensées, j'entendis un cri :

– Au secours !

Je regardai alentour, mais je ne vis personne.

J'allais m'allonger de nouveau dans l'herbe, quand j'entendis un autre cri :

– Qui peut aider la reine des papillons ?

Je me retournai et découvris enfin une créature minuscule qui se débattait au centre d'une grosse toile d'araignée.

Je me penchai pour mieux l'examiner : c'était un papillon plus grand que les autres, aux ailes recouvertes d'une poudre d'or qui brillait dans le soleil. Sur la tête, il portait une petite couronne formée par une minuscule goutte de rosée.

Une araignée aux longues pattes était en train de s'approcher de lui, savourant par avance ce repas très spécial !

Je décidai aussitôt d'aider la reine des papillons et, d'un coup de sabot, déchirai la toile d'araignée et la libérai.

L'araignée, furieuse, me piqua la patte avec son poison douloureux, mais j'étais contente, parce que j'avais réussi à sauver la reine !

Celle-ci s'envola légèrement et, se posant sur mes cornes, me demanda :

— Que puis-je faire pour toi, généreuse créature, toi qui as sauvé la reine des papillons ?

Tout émue, je meuglai :

— Mon plus grand désir est de voler.

La reine sourit et m'effleura le dos de ses ailes, en y faisant tomber un peu de poudre d'or. Aussitôt, je guéris, puis de merveilleuses ailes multicolores me poussèrent sur le dos, ma robe se chamarra de mille couleurs et un collier de fleurs rouges apparut autour de mon cou. J'étais au comble du bonheur et je m'inclinai devant la reine, qui, satisfaite, me sourit.

— Tu m'as offert le don le plus précieux, la vie, et maintenant c'est à mon tour de te donner quelque chose. Désormais, tu seras une vache spéciale : tu pourras voler et ton lait aura mille goûts différents. En plus, en broutant les fleurs de cette colline, tu gagneras des pouvoirs extra-ordinaires qui te rendront invincible ! Dorénavant, tu t'appelleras Papillache, la vache-papillon !

Telle est mon histoire, et depuis lors je volette, heureuse, au-dessus des prairies du royaume de la Fantaisie.

MESSAGE DU MAGE
DE LA PERLE NOIRE !

Nous volâmes toute la **NUIT**, et à l'aube la vache nous annonça :

– Meuuuh ! Préparez-vous, nous arrivons à la *forêt Bariolée* !

Je m'étirai et rendis sa couverture à Grustave. C'est alors, à ce moment précis, que ça se passa… Sept **énormes** oiseaux noirs comme la nuit jaillirent des nuages en formation de combat : c'étaient des **vautours** !

Nous sommes sept…

… nous sommes cruels…

… nous sommes méchants…

Ils avaient d'interminables plumes luisantes, le crâne rougeâtre, un long bec crochu, des griffes pointues et le regard méchant.

Ils piaillèrent en chœur :

– Message pour toi, Papillache, de la part du Mage de la Perle noire : livre-nous tes passagers, ou tant pis pour toi !

Je poussai un CRI de terreur et je m'aperçus que la coquille de Grustave devenait rose pâle de FROUSSE.

Papillache, elle, éclata de rire et poussa un meuglement sauvage :

... nous avons des becs crochus...

... et des griffes pointues...

... nous sommes les alliés du Mage de la Perle noire...

– Meuuuuuh, il n'en est pas question !

Puis, se tournant vers nous, elle ajouta :

– Accrochez-vous ! Le **COMBAT** commence !

Papillache, d'un mouvement vif, brouta l'une des fleurs qu'elle portait autour du cou, et… soudain, ses cornes se mirent à tournoyer à toute vitesse et ses ailes à battre si rapidement qu'elles devinrent invisibles ! Aussitôt, elle entreprit de combattre, distribuant des coups de sabot dans tous les sens, et chaque ruade s'accompagnait d'une gerbe d'**ÉTINCELLES** ! Les **vautours** qui l'entouraient essayèrent de la toucher, mais elle se défendait avec acharnement et les oiseaux perfides ne récoltèrent qu'une grêle de nouveaux coups sur leurs ridicules crânes **pelés** ! Pendant qu'elle se livrait à ces actions insensées, je m'agrippai à son cou pour ne pas tomber et poussai des cris de **TERREUR**. J'étais vert à force d'être secoué et je sentais mon estomac monter et descendre comme un ascenseur ! Enfin, lorsque le dernier des vautours se fut éloigné, on entendit un mugissement :

– **Victoiiiire !**

Alors seulement Grustave sortit de sa coquille, les

yeux écarquillés par la **peur**, et je l'entendis mur-
murer :

– Mais pourquoi ai-je choisi un métier pareil ? Quand
je pense que je pourrais être au fond de la *mer* à
attraper des algues…

Mais il se reprit et, s'éclaircissant la voix, déclama :

– Au nom de Floridiana del Flor, reine du royaume
de la Fantaisie, moi, Grustave des Sept Mers, son
chosèle… euh… fidèle messager, je te félicite de la
victoire que tu viens de remporter sur les *choses*…
oui enfin sur les espions du Mage de la Perle noi…
aaaaaaaaaargh !

Il ne put terminer sa phrase, car Papillache avait
plongé d'un coup, la tête la première, en meuglant :

– Prêts pour l'*ATTERRISSAAAAAAGE* !

Enfin, nous touchâmes terre, après un vol plané plus
que parfait !

Après toutes ces acrobaties, j'avais encore la tête
qui tournait et les pattes qui tremblaient. Aussi,
au lieu de descendre à terre triomphant comme il
convient à un véritable CHEVALIER SANS PEUR ET SANS
REPROCHE, je me laissai tomber sur le sol tel un sac de
pommes de terre (pourries) !

Grustave, lui, sauta à terre et baisa le sol, en *sanglotant* :

– Vivant ! Je suis vivant ! Il faut que je pense à demander une augmentation à la reine des Fées... Par mille ALGUETTES, mon *chosier* est vraiment *choseux*... je veux dire... mon métier est vraiment dangereux !

Meuuuh!

Pauvre de moi...

Je suis sauvé!

Smack smack!

Un chocolat
à la crème
ou un milk-shake ?

J'eus à peine le temps de regarder autour de moi que déjà Papillache poussait un meuglement de satisfaction :

– Parfait ! Nous avons atterri juste à temps pour le goûter ! Que préférez-vous : un chocolat à la crème, un cappuccino, un milk-shake ou… un yaourt ?

Je n'en croyais pas mes oreilles : où pouvait-on nous procurer de tels délices ? Nous nous trouvions au beau milieu d'une vallée qui paraissait désertique ! Mais je me souvins de l'histoire de Papillache : c'était une vache spéciale, capable de produire de nombreuses boissons délicieuses à base de lait !

Miam, quel délice !!!

Grustave marmonna :

– Hum, il doit bien me rester quelques BISCUITS…

Il disparut dans sa coquille, puis reparut avec un panier rempli de **délicieux** biscuits. C'est ainsi que, trempant les gâteaux dans un chocolat chaud, je découvris le paysage qui m'entourait : il s'agissait d'une étrange vallée, où tout était gris et où flottait un épais **BROUILLARD**...

Après le goûter, nous remontâmes sur le dos de Papillache, qui, en **VOLETANT**, nous conduisit à un endroit où ce curieux brouillard **GRISÂTRE** était encore plus dense. Là, nous continuâmes le chemin à pied. J'éprouvais un bizarre sentiment de **TRISTESSE**, comme si cette grisaille avait absorbé toute la vitalité qui était dans mon cœur, tout mon enthousiasme et toute ma joie de vivre.

Au bout d'une heure de marche, le SENTIER *gris* que nous suivions déboucha dans une plaine *grise*, au cœur d'une forêt *grise* d'arbres *gris* aux branches desquels pendaient des pommes *grises*, et devant nous apparut un village *gris* avec de drôles de petites maisons en forme de pomme.

M-mais où sommes-nous?

Bienvenue, étrangers!

Autour de moi, j'entendais d'innombrables voix qui gémissaient et des *échos* de pleurs lointains, comme si des créatures sanglotaient dans le brouillard. Puis quelqu'un vint à notre rencontre : c'était un Gnome... tout **GRIS** lui aussi ! Je l'examinais, ébahi : il avait la peau **GRISE**, des yeux **GRIS**, une barbe **GRISE** et des cheveux **GRIS**, un chapeau **GRIS** en forme de pomme, une blouse **GRISE**, un pantalon **GRIS**, des babouches **GRISES**.

Bouuh! Sniff! Sniff!

D'une voix triste, il dit :

– Bienvenue, étrangers, dans ce qui autrefois était appelé la *vallée de l'Arc-en-ciel* ! Je suis Barbedefeu, chef des Gnomes Nez-Rouge.

Je le remerciai :

– Merci, Barbedefeu, nous sommes honorés de faire ta connaissance. Mais… pourquoi la région s'appelle-t-elle la vallée de l'Arc-en-ciel alors que tout y est **GRIS** ?

À ces mots, il se mit à sangloter, se mouchant bruyamment dans ma cape.

– Ô voyageurs qui venez de loin… là où les couleurs RESPLENDISSENT encore… ah, si vous saviez… si vous pouviez… ah, si tout pouvait redevenir comme avant… *SNIF SNIF SNIF !*

Grustave lui tendit un mouchoir, tout en consultant frénétiquement un dictionnaire sur les terres du royaume de la Fantaisie, et lut :

LA VALLÉE DE L'ARC-EN-CIEL

La vallée de l'Arc-en-ciel se trouve dans les territoires au nord-est du royaume de la Fantaisie. Elle possède une splendide cascade et un lac de cristal au bord duquel poussent de merveilleux pommiers, aux gros fruits rouges et succulents. C'est là que se trouve le village du peuple des Gnomes Nez-Rouge, célèbres parce qu'ils produisent le meilleur jus de pomme de tout le royaume de la Fantaisie! Les Gnomes Nez-Rouge sont heureux et fiers de leur travail, et ils sont toujours de bonne humeur!

Quand il se fut CALMÉ, Barbedefeu raconta :

– Autrefois, notre village avait des toits **ROUGES** et des volets **BLEUS** et nous portions des blouses **VERTES** et des pantalons **MARRON**, nos yeux étaient **BLEUS** comme le ciel et notre nez **ROUGE** !

– Et que s'est-il passé? demandai-je, inquiet.

– Un triste jour, le Mage de la Perle noire survola notre village à bord de son char obscur et nous menaça en ces termes : "Donnez-moi tout de suite le talisman que vous conservez, je sais que Floridiana vous l'a confié ! JE LE VEUX !"

« Je ne me laissai pas intimider et répondis fièrement : "Au nom du peuple des Gnomes Nez-Rouge,

la réponse est non !" Le Mage ferma les yeux et, d'un ricanement PERFIDE, siffla : "Puisque vous me résistez, je vais vous punir en vous privant de ce que vous avez de plus précieux : *votre bonheur !*" Puis il prononça quelques mots à voix basse et, soudain, la perle noire qu'il porte au cou se mit à vibrer, attirant et absorbant les COULEURS de chaque chose autour de nous !

« C'est ainsi que, brusquement, tout devint GRIS… les maisons, les champs… tout ! Et même nous ! Depuis, nous avons essayé à plusieurs reprises de pro-

duire encore le jus de pomme qui faisait notre réputation dans tout le royaume de la Fantaisie, mais parce que les pommes sont devenues grises, le jus qu'elles donnent n'est plus **DORÉ** comme le soleil… Et son goût a également disparu ! Et qui a envie de boire un jus **GRIS** qui n'a le goût de rien ? Ainsi, nous avons été obligés de fermer notre fabrique de jus de pomme. Et nous avons perdu notre *bonheur*…

Barbedefeu sécha ses larmes et conclut tristement :
– Voilà, PLUS de couleurs, PLUS de jus de pomme et PLUS de gaieté pour notre village. Et en plus les seuls qui pourraient rapporter les COULEURS dans le village ne veulent pas nous aider...
Je tendis l'oreille.

– **Quoiquoiquoi ?** Il existerait donc un moyen de rapporter les couleurs dans votre village ? Comment faudrait-il faire ?

NOTRE MAISON, C'EST L'ARC-EN-CIEL...

Barbedefeu soupira, indiquant un point dans le lointain, là où, derrière les collines qui encerclaient la vallée, BRILLAIT un splendide arc-en-ciel.

– Vous voyez ces collines ? Là-bas, au pied de l'arc-en-ciel, vivent sept Lutins peintres : ils possèdent le secret des couleurs et le gardent JALOUSEMENT depuis des siècles. Nous leur avons demandé leur aide, mais les Lutins ne veulent céder à personne leurs précieuses COULEURS. Ah, si quelqu'un arrivait à les convaincre...

Grustave et moi échangeâmes un regard de connivence et je proposai :

– Barbedefeu, mon ami et moi, nous allons t'aider ! Nous sommes prêts à partir pour essayer de convaincre les Lutins peintres !

Très ému, le chef des Nez-Rouge recommença à pleurer, en se mouchant bruyamment dans ma cape.

– Aaaaah, mais vous n'y arriverez jamais… c'est trop **DIFFICILE**… ils ne vous écouteront jamais… et puis…

Quelle tristesse… prrr!

Nous… euh… allons t'aider!

Je le coupai :

– En tout cas, nous pouvons toujours essayer. Nous partirons demain, ou plutôt… *NOUS PARTONS TOUT DE SUITE !*

Nous volâmes toute la journée et toute la nuit sur le dos de Papillache et le lendemain matin, à l'**AUBE**, nous atteignîmes les collines. Nous nous cachâmes derrière un **rocher**, pour observer de près les

Lutins peintres. Au bout d'un moment, au pied de l'arc-en-ciel apparurent sept Lutins qui s'étiraient en bâillant. Ils étaient vêtus des couleurs du prisme. Aussitôt, ils se mirent à danser et à chanter :

– Nous sommes sept
Peintres Lutins.
Les couleurs sont notre butin,
Nous gardons ce trésor pour nous.
Si vous en manquez,
tant pis pour vous !
L'arc-en-ciel est notre maison,
Après la pluie, le soleil est bon !

Grustave murmura :
– Quels égoïstes ! Ils veulent garder toutes les couleurs pour eux ! Ça leur coûterait quoi de donner une *chosure*, enfin, une *peinturlure* au village des Gnomes ? S'il m'en tombe un sous les pinces, je lui *chose* le *chosez*... je lui pince le nez !
Je secouai la tête.
– Nous devons utiliser notre cerveau pour les convaincre de nous donner un peu de couleur.

Les Lutins formèrent une ronde, tournant tous ensemble si rapidement que, peu à peu, leurs sept couleurs se fondirent en une grande TACHE de lumière blanche.

Puis chacun d'eux prit un pinceau et, sans cesser de danser, ils commencèrent à PLAISANTER entre eux. Mais bientôt ils se moquèrent les uns des autres et leurs plaisanteries se transformèrent en une véritable BAGARRE.

Un Lutin se vanta :

– *Je suis le* **bleu** *et je suis le plus beau, c'est dans la mer que je trempe mon pinceau !*

Un autre, le Lutin tout *jaune*, ricana :

– *Ça me fait bien rigoler : quand je te vois, j'ai la nausée ! Moi, j'ai la couleur du soleil, et ça, c'est une vraie merveille !*

Les autres s'en mêlèrent :

– *Hé, toi, le Lutin* **rouge**, *tu es laid dès que tu bouges !*

– *Ta couleur, Lutin* **violet**, *il n'y a rien de plus laid ! Personne n'en veut, jette ça au feu !*

– *Ta couleur, Lutin* **vert**, *nous met en rage et en colère !*

QUE FAIS-TU, *CHOSE,* TU DORS DEBOUT ?

Les sept Lutins paraissaient avoir vraiment mauvais caractère et ils continuèrent pendant un petit moment à se tirer les cheveux et à se pincer le nez ! Grustave grommela :

– *Bon, je m'en occupe...*

Il plongea dans sa coquille et ressortit bientôt en serrant une **LOUPE** dans la pince gauche, tandis que dans la droite il tenait une palette de peintre sans couleurs. Pour compléter son déguisement, il s'enfonça sur la tête un béret de peintre. Puis il contourna le **rocher** et fit semblant d'examiner attentivement l'arc-en-ciel avec sa loupe.

– Oh, bonjour, gentils Lutins ! Il est joli, cet **arc-en-ciel**, c'est votre œuvre ?

Aussitôt, les Lutins cessèrent de se disputer et commencèrent à se vanter :

Hummm...

– *Aussi sûr qu'après la pluie revient le soleil... c'est nous qui avons fait cet arc-en-ciel !*

Grustave leur tendit une carte de visite.

– Permettez-moi de me présenter, je suis le **Maître Couleurave des Sept Tableaux**, expert en arcs-en-ciel ! Je suis en mission dans tout le royaume de la Fantaisie à la recherche de l'Arc-en-ciel Si Beau Que Plus Beau Ça N'Existe Pas, pour lui *DÉCERNER* un parchemin spécial signé par la reine Floridiana.

Les Lutins étaient SURPRIS.

– *Nous sommes déconcertés, nous ne savions pas que les experts en arc-en-ciel exis- taient...*

Le bernard-l'ermite répondit d'un ton solennel :

– Oh, nous ne sommes pas nombreux à nous y connaître

MAÎTRE COULEURAVE DES SEPT TABLEAUX

EXPERT EN ARCS-EN-CIEL

en arcs-en-ciel dans le royaume de la Fantaisie. En fait je suis pratiquement le **seul**, n'est-ce pas, *Chose* ? *Chose*, que fais-tu ? Tu dors ? Et voilà, vous voyez, *Chose* est mon assistant, mais il n'est pas très éveillé, et je dois lui pincer la queue de temps en temps pour qu'il ne s'endorme pas…

Il me pinça si fort que je poussai un cri. Les Lutins éclatèrent de rire, AMUSÉS.

Le Lutin rouge s'approcha de Grustave et lui déclara :

– *Ami, tu me plais, car, tu vois, tu es aussi* **TAQUIN** *que moi. Que puis-je faire pour toi ?*

Grustave montra sa palette vide.

– Eh bien, en fait, je suis un peu à court de peinture, tu n'en aurais pas à me prêter et…

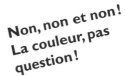

Non, non et non ! La couleur, pas question !

Les sept Lutins HURLÈRENT en chœur :

– *Nous ne cédons nos couleurs à personne, pourquoi voudrais-tu qu'on te les donne ? Leur* **secret**, *nous en sommes jaloux, nos couleurs, nous les gardons pour nous !*

Je suggérai à Grustave :

– Euh, Maître, pourquoi ne posez-vous pas à ces Messieurs Lutins quelques questions sur la manière d'obtenir leurs précieuses couleurs…

Grustave comprit aussitôt :

– Voilà, bravo, *Chose* ! Tu as raison !

Puis, s'adressant aux Lutins, il demanda :

– Dites-moi, chers Lutins : comment obtenez-vous vos COULEURS ?

Le Lutin jaune répondit en leur nom à tous :

– *Justement, c'est ce qu'il y a de bien !*
Les couleurs, nous les CRÉONS *à partir de nous-mêmes, les Lutins !*

Avec le pinceau qu'il tenait à la main, il peignit un morceau d'arc-en-ciel : dès qu'il avait étalé la couleur, les POILS se remplissaient de nouveau, comme par magie.

C'est alors qu'il me vint une idée : je devais raconter une histoire **TRISTE, TRÈS TRISTE, TRÈS TRÈS TRISTE** !

L'histoire la plus **TRISTE** que je connaissais ! Je commençai donc, d'un air sérieux :

– Il y a très très longtemps, dans un royaume très lointain, vivait une très belle princesse aux cheveux **NOIRS**, aux yeux TURQUOISE et au teint BLANC comme l'ivoire. Elle portait une robe de soie ROSE ornée d'émeraudes VERTES et de rubis ROUGES. Dans le jardin de son palais poussaient des fleurs aux mille COULEURS.

– Ohhhh, quelle splendeur, toutes ces couleurs ! murmurèrent les Lutins d'une voix rêveuse. *Continue, nous t'en prions, c'est une histoire que nous aimons !*
Je poursuivis :
– Mais un jour une méchante sorcière, **JALOUSE** de sa beauté, décida de lui voler ses couleurs… Elle s'introduisit la nuit dans le palais de la princesse et déroba chaque teinte…
– Oh non, quel **TRISTE** *destin… ça va faire pleurer les Lutins !*

Et, soudain, ils se mirent tous à pleurer désespérément et leurs yeux versaient des larmes de couleur.

VITE, Grustave commença à courir de l'un à l'autre pour recueillir toutes ces COULEURS sur sa palette.

Cependant, je continuais mon histoire :

– Craignant que la princesse ne se pare avec les fleurs multicolores de son jardin, la méchante sorcière les rendit toutes **GRISES** et les fit faner... puis...

Les Lutins ne cessaient de pleurer et de se lamenter :

– *Ça suffit, arrête de raconter ! Une histoire pareille, nous ne pouvons pas la supporter !*

Dès que Grustave eut recueilli des **larmes** des sept couleurs de l'arc-en-ciel, nous rejoignîmes en courant Papillache, qui nous attendait non loin de là.

Les Lutins crièrent en chœur :

– Tu dois nous donner le *parchemin* du prix du Plus Bel Arc-en-ciel du royaume de la Fantaisie !

Grustave leur lança un parchemin, mais, tandis que

nous nous envolions, nous les entendîmes protester, parce que sur le parchemin il était écrit : « PRIX POUR LES LUTINS LES PLUS TAQUINS DU ROYAUME DE LA FANTAISIE ! »

LE MÉDAILLON DU SOLEIL ET DE LA LUNE

Lorsque nous retournâmes au village des Gnomes, nous fûmes accueillis comme des héros. Grustave **plongea** dans la Grustaville et en sortit des seaux, des rouleaux, des pinceaux et des brosses. Il fit un essai : avec un pinceau, il peignit en **rouge** toutes les pommes d'un arbre ; Barbedefeu les cueillit et les apporta à la fabrique de jus de pomme, où elles

1 panier de pommes = 1 bouteille de jus de pomme

furent pelées et pressées. On obtint un liquide DORÉ comme le miel, sucré juste comme il faut et dégageant un parfum comme je n'en avais jamais senti...

Je comprenais pourquoi ce jus de pomme était autrefois fameux dans tout le royaume de la Fantaisie !

Nous TRINQUÂMES avec les habitants de la vallée de l'Arc-en-ciel, puis Grustave ordonna :

– Et maintenant, au travail ! Nous devons repeindre tout le village !

Nous nous mîmes à tout colorer : les toits en vermillon, les volets en bleu, les plantes en vert, les pommes en rouge, les marguerites en blanc et jaune, l'eau des ruisseaux en bleu...

Chaque chose avait enfin retrouvé sa couleur !

Barbedefeu regarda tout autour de lui et, ému, nous demanda :

– Que puis-je faire pour vous remercier, mes amis ?

Je lui montrai la bague avec le sceau de Floridiana et répondis :

– À présent que nous avons mérité ta confiance en te prouvant notre amitié sincère, nous pouvons

t'expliquer pourquoi nous sommes ici. Nous sommes en mission au nom de la reine du royaume de la Fantaisie... Nous devons récupérer tous les TALISMANS qui composent la mythique chaîne. Tu nous as appris que tu conservais le troisième symbole et je voudrais te demander de nous le confier.

Barbedefeu sourit.

– Je vous connais et je sais que je peux me fier à vous. De même que je n'ai pas hésité à dire non au Mage de la Perle noire, aujourd'hui, je n'hésite pas à vous dire oui, mes amis...

Il fouilla sous sa blouse et sortit le Médaillon du Soleil et de la Lune, un talisman en or, orné d'émaux aux vives couleurs, sur lequel étaient représentés un Soleil et une Lune superposés. Je le reçus avec émotion et l'accrochai à la chaîne d'or, avec les talismans que j'avais déjà obtenus.

Le Médaillon du Soleil et de la Lune

Le troisième talisman

C'est un précieux médaillon en or, orné d'émaux aux vives couleurs. Il porte les images superposées du Soleil et de la Lune. Ce talisman est conservé depuis mille ans dans le village des Gnomes Nez-Rouge, parce que Floridiana l'a confié à leur chef Barbedefeu, qu'elle avait choisi comme gardien. Ce talisman a également un pouvoir extraordinaire : il peut allonger la nuit ou le jour, si son possesseur se trouve en danger !

TU LE VEUX COMMENT, TON CERCUEIL, *CHOSE* ?

Les Gnomes, reconnaissants, nous donnèrent
des provisions pour le voyage et nous
offrirent même un coffret rempli
d'herbes médicinales.

Il ne nous restait plus qu'à repartir,
mais le moment venu Papillache nous
demanda dans un murmure :

– **Mes amis**, me permettez-vous de rester ici ?
J'adore cet endroit, aussi coloré et bariolé que moi…
Je répondis en lui caressant le museau :

– Je suis *heureux* que tu aimes ce village. Nous te
devons beaucoup et je te remercie du fond du cœur
de nous avoir accompagnés jusqu'ici ! Reste et ne
t'inquiète pas pour moi : je repars avec Grustave.
C'est alors que retentit la **sonnerie** d'un téléphone
qui sortait de la Grustaville et le bernard-l'ermite
courut répondre.

– Allô, ici, Grustave… oui, c'est moi, Grustave des Sept Mers… C'est toi, tante Grustacette ? Comment vont les petits bernard-l'hermite ? Quoi ? Tu es en danger ? Mais pourquoi ? Le Mage de la Perle noire ? Il est en train d'**assécher** la baie

Allô, ici, Grustave !

de la Rascasse ? Mais c'est là que j'habite… c'est là que tu habites… et c'est là qu'habite toute notre famille ! Quoiiii ? Le Mage veut se **VENGER** parce que j'aide *Chose*, le Chevalier Sans Peur et Sans Reproche, c'est-à-dire le Chevalier des Sept Mers ? Mais bien sûr… NE T'INQUIÈTE PAS… j'arrive tout de suite, parole de bernard-l'ermite !

Grustave, à toi de jouer !

Grustave raccrocha, abattu, puis se tourna vers moi.

– Excuse-moi, *Chose*, je dois *choser* tante *Chosette* ! Il n'y a pas un *chosent* à perdre !

– Du calme, du calme ! lui dis-je. Explique-moi d'abord ce qui se passe.

– Je dois courir tout de suite au secours de tante Grustacette et de ses 113 bernard-l'ermite... Le Mage de la Perle noire a construit une digue et est en train d'assécher la baie dans laquelle vit ma famille ! Je dois les sauver ! Mais je te rejoindrai très vite !

– Bien sûr, mon ami, je comprends ! Va donc et ne t'inquiète pas pour moi ! Je m'en sortirai, ne suis-je pas le CHEVALIER DES SEPT MERS ? Le seul problème... c'est que je ne sais pas comment arriver aux Cimes-Enneigées !

Barbedefeu intervint d'un ton solennel :

– Je te montrerai la route pour atteindre le royaume des Cimes-Enneigées, là où depuis mille ans est conservé le quatrième talisman...

Il s'éclaircit la voix avant de poursuivre, inquiet :

– Chevalier, vous devez savoir que les Cimes-Enneigées sont les plus hautes montagnes du royaume de la Fantaisie. Elles sont si hautes qu'elles touchent les nuages. Il n'y a pas d'habitants dans ce royaume **FROID** et DÉSOLÉ. Seul y vit le gardien du quatrième talisman. On dit que c'est un énorme loup blanc, un loup au pelage étincelant, très **FÉROCE**, qui raffole de la chair fraîche...

Je frissonnai.

– Il aime... la chair de souris ?

– Surtout celle-là, *Chose* ! répondit Grustave. Il paraît que ça fait des siècles qu'il attend une souris en particulier... C'est peut-être **TOI** ! Tu dois faire très

... un loup énorme et très féroce !

Brrr ! J-je dois vraiment aller là-bas ?

attention, sinon tu lui serviras de petit déjeuner, ou de déjeuner, ou de goûter, ou de dîner, ou de souper, ou…

BLÊME de frousse, je l'interrompis :

– Ça va, j'ai compris… Quels conseils me donnes-tu ?

Grustave soupira :

– Bah, quels CONSEILS veux-tu que je te donne ? Tu te rends dans un endroit désert et glacial, dont le seul habitant est un monstre féroce qui adore la viande de souris… Tout ce que je peux faire pour toi, c'est te souhaiter bonne chance ! Mais ne t'inquiète pas, j'ai un cousin qui dirige une entreprise de pompes funèbres, il s'occupera de te faire de belles funérailles

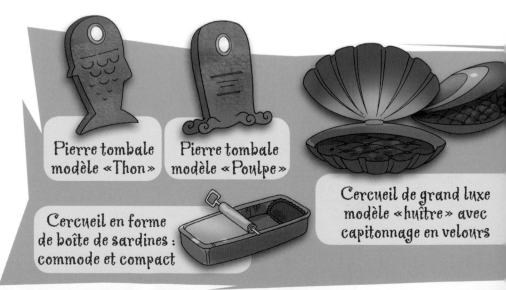

Pierre tombale modèle «Thon»

Pierre tombale modèle «Poulpe»

Cercueil de grand luxe modèle «huître» avec capitonnage en velours

Cercueil en forme de boîte de sardines : commode et compact

si tu laisses ton pelage sur les Cimes-Enneigées. Tu le veux comment, ton cercueil, *Chose*? Tu préfères le modèle *huître* doublé de velours rouge ou celui en forme de boîte de sardines? Et la pierre tombale, tu la préfères en forme de thon ou de poulpe?

J'avais tellement la frousse que j'étais au bord de l'évanouissement. Je l'implorai :

– *Assez, assez* !

Il me donna une tape de sa pince sur l'épaule.

– Ne t'inquiète pas, *Chose*, tout se passera bien *(peut-être)*, tu survivras *(si ça se trouve)*, nous nous reverrons bientôt *(va savoir)*… en tout cas, évite de te jeter dans la gueule du loup !

Je hurlai :

– NON, PAS DANS LA GUEULE DU LOUP !

Je terminai en hâte les préparatifs, saluai tout le monde et repartis à pied.

J'avais le cœur lourd : sans Papillache pour me transporter et sans

Grustave à mon côté, mon départ était bien TRISTE...
Je pris mon courage à deux pattes et fis un premier pas
sur le long CHEMIN qui m'attendait pour atteindre
les Cimes-Enneigées. C'est ainsi que commencent
tous les chemins, c'est le courage qui nous fait faire
le premier pas ! Tandis que je m'éloignais du village,
il me sembla entendre Grustave qui criait :
– Attentiooon aux Espiooons blaaancs !
Je me demandai ce que cela signifiait...

Snif...

Le ROYAUME des CIMES-ENNEIGÉES

À LA RECHERCHE DE
L'ÉTOILE DE DIAMANT

Le ROYAUME des CIMES-ENNEIGÉES

8

9

11

10

12

LE PETIT RIRE MAUVAIS DES ESPIONS BLANCS

Je marchai des jours et des jours, et j'avais le cœur de plus en plus lourd. Il était dur d'affronter seul un aussi long chemin, sans personne à qui parler ! J'éprouvais de la NOSTALGIE pour mon ami Grustave… Eh oui, je le reconnais, son bavardage me manquait, et même ses pinçons !

Enfin, j'arrivai au raide sentier glacé qui conduisait au pied des Cimes-Enneigées. L'ascension était très pénible : à chaque pas, je dérapai sur la glace, tandis que le VENT, qui soufflait sans répit, me déséquilibrait, glissait sous mon armure ses invisibles doigts gelés et essayait de m'arracher les moustaches. Heureusement, les Gnomes Nez-Rouge m'avaient fourni des provisions délicieuses, qui me bourrèrent d'énergie.

Lorsque j'arrivai à la moitié de la montée, j'entendis

de nombreuses petites voix MÉCHANTES qui criaient :

– Nous, les Espions blancs, alliés du Mage de la Perle noire, nous te défions !

Puis j'entendis un rire méchant et strident et une gigantesque masse de neige se mit à DÉVALER la pente dans ma direction… En regardant mieux, je vis qu'elle était formée par une myriade de minuscules BOULES de glace qui, toutes, avaient de petits yeux méchants. J'eus beau hurler «Au secouuuurs !», il n'y avait personne pour venir à mon secours dans ce royaume désolé et GLACÉ…

Au secouuuurs !

Je fus emporté, la bouche pleine de neige, jusqu'à ce que l'**avalanche** s'arrête, en m'ayant enseveli. Comment allais-je pouvoir sortir de cette prison de neige? Je n'arrivais même pas à deviner de quel côté se trouvait le ciel… **La LiBeRTé!** Je devais essayer de sortir de là, et vite, avant de manquer d'**air**!

Je tentai de me dégager, en tassant la neige autour de moi et en creusant une sorte de niche à l'intérieur de laquelle je pus bouger un peu. Puis je me mis à pleurer et mes larmes coulèrent sur mon front…

PLIC! PLIC! PLIC!

Par mille moustaches gelées! Mon front?! C'est alors que je compris que j'étais enfoncé dans la neige la tête en bas! Je savais maintenant dans quelle **direction** creuser : du côté opposé à celui où étaient tombées mes larmes!

Je me redressai et creusai, le plus vite possible, mais le froid me gelait les pattes et je commençai à claquer des dents.

BRRRR !

Ah, comme j'aurais aimé avoir quelqu'un pour me RÉCHAUFFER !

Si Grustave avait été là, il aurait pu m'inviter de nouveau dans sa Grustaville et j'aurais pu déguster une bonne tasse de **chocolat** chaud pour me réchauffer ! J'aurais au moins pu sortir une **pelle** de sa coquille pour m'aider à creuser…

Mes forces diminuaient, je ne voulais plus que **DORMIR**, **DORMIR**, **DORMIR**…

Quelque chose en moi me disait que je ne devais pas me laisser aller, que je ne devais pas m'endormir, sinon il ne resterait de moi qu'un SURGELÉ de souris ! Rassemblant toutes mes forces, je continuai à creuser. Bientôt, mon museau sortit de la neige.

– Sauvé ! Je suis sauvé ! m'exclamai-je.

À peine étais-je sorti et avais-je brossé la neige qui restait sur mes vêtements que j'entendis

Oufff !

Aïe! **SBANG!** Je tooombe!

un éclat de rire Mɑᴜ∨ɑïƧ : cette fois, ce fut un énorme bloc de glace qui me tomba sur la tête! Le coup me fit perdre l'équilibre et je **BASCULAI** sur le bord d'un précipice.

Je ne fus sauvé que parce que je restai **ACCROCHÉ** par le petit doigt à la roche en saillie.

SCOUIIIT!

Je regardai en contrebas : un ravin dont je ne distinguais pas le fond s'ouvrait sous mes pattes, et je claquai des dents de **FROUSSE**...

Je ne sais pas comment je fis, mais, au lieu de
TOMBER dans le vide, je parvins à me hisser sur
le sentier.
Il s'en était fallu d'un poil de moustache !
Cette fois, j'avais vraiment failli m'écrabouiller
comme une omelette à la souris !

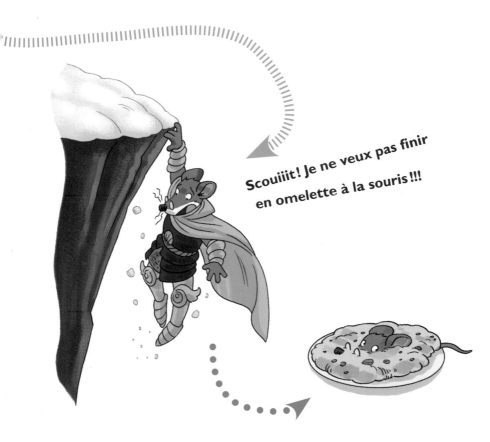

Scouiiit! Je ne veux pas finir
en omelette à la souris !!!

DES YEUX D'OR DANS LA NUIT

Je me remis en marche, les pattes TREMBLANTES, escaladant ce sentier glacé qui brillait sous les reflets de la lune.

Le vent continuait de ralentir ma progression et de me congeler les moustaches et la queue. Après une dernière enjambée encore plus pénible, j'atteignis le sommet, et le vent se fit d'un coup plus CINGLANT, plus glacial...

Je venais de m'asseoir pour reprendre mon souffle lorsque, devant moi, se dressa une grande silhouette noire avec deux YEUX d'or qui brillaient comme des flammes dans la nuit.

La frousse me coupa la respiration et je n'arrivai même pas à dire «scouit!». Je restai paralysé par la peur, tandis que la silhouette noire et menaçante commençait à gronder et à montrer les dents.

Je voulais me retourner et m'**ENFUIR**, mais mes pattes étaient comme congelées : impossible de les bouger. Pour la première fois, je me dis que je n'en réchapperais pas… Puis la **CRÉATURE** fit un pas en avant et je vis qu'il s'agissait d'un énorme loup au pelage blanc comme la neige.

Soudain, je compris : c'était *Loup Blanc* ! C'est alors seulement que je me rendis compte qu'autour de moi étaient amoncelés des tas d'OSSELETS. Je me dis, terrorisé : « Et si c'étaient les restes de tous les malheureux qui, avant moi, ont essayé de conquérir le QUATRIÈME TALISMAN et qui ont été dévorés par le loup ? »

Le loup grinça des dents : à la lumière de la lune, elles BRILLAIENT tels des couteaux aiguisés.

Je repensai aux paroles du bernard-l'ermite : *« Il paraît que ça fait des siècles qu'il attend une souris... »*

Savoir si ce que m'avait dit Grustave était vrai...

Savoir si le loup aimait vraiment la viande de souris...

Hélas, à en juger par la façon dont il me regardait, il semblait en raffoler ! Il fit un pas en avant, grondant de plus en plus fort : prêt à me sauter dessus, il avait le poil HIRSUTE et les oreilles tendues en arrière !

J'avais si peur que mes moustaches (gelées !) tremblaient !

Je remarquai alors un détail qui m'avait jusque-là

échappé : le loup avait la **PATTE** avant droite qui saignait, laissant des traces rouges sur la neige. Ça devait lui faire très **mal**, car il la posait à peine sur le sol. Je regardai mieux et je vis qu'y était plantée une longue **ÉPINE** !

Écoutant ce que me dictait mon cœur, je lui offris mon aide :

– Ami loup, veux-tu que je te retire l'épine que tu as dans la patte ?

Le loup plissa les yeux, **MÉFIANT**, peut-être pour mieux évaluer mes intentions.

Je fis un pas en avant, les pattes écartées, pour montrer que je n'avais pas d'armes et que mes intentions étaient *pacifiques.*

Je m'approchai encore et répétai :

– Veux-tu que je t'aide ?

Comme il ne semblait pas refuser, je pris son membre blessé et, avec délicatesse, commençai à en retirer la longue épine. Il avait la patte tout **ENFLÉE** et ça devait être très douloureux. Il gronda plus fort et ouvrit la gueule comme pour me mordre… mais, dans un dernier effort, je retirai l'ÉPINE et la lui montrai en disant :

– Tu vois ? C'est cette épine qui te faisait mal, mais maintenant c'est fini. Tu guériras vite !

Je versai l'**eau** de ma gourde sur la blessure pour bien la nettoyer, étalai la pommade aux herbes médicinales que m'avait donnée Barbedefeu, puis arrachai une bandelette d'algues de mon manteau et l'utilisai pour panser la patte.

Le loup me laissait faire, *doux* comme un agneau : il avait compris qu'il pouvait avoir confiance en moi.

Et, quand j'eus fini, il glapit de gratitude et lécha la patte qui l'avait soigné.

Nous étions devenus amis !

Hé, hé, hé !

L'ÉTOILE
DU COURAGE

Il était temps de *trouver* le quatrième talisman.

Il fallait que je fasse **VITE** !

Mais comment devais-je m'y prendre ?

J'attendais une indication, un message, un signe qui m'explique comment agir…

C'est alors que le **SIGNAL** arriva.

Ouuuuuuuuuuh !

Comme pour répondre aux PENSÉES que je n'avais pas exprimées, Loup Blanc tourna son museau vers la lune et se mit à hurler. Je levai la tête et, dans le ciel noir, découvris des millions d'ÉTOILES, petites et grandes ! Soudain, l'une d'elles parut briller plus que les autres, comme si elle avait voulu attirer mon attention. J'entendis en même temps une voix : « Cette étoile est le TALISMAN, va la prendre, vite, si tu es celui que j'attends depuis mille ans... »

Je regardai autour de moi, STUPÉFAIT, mais il n'y avait personne d'autre que le loup.

La voix répéta : « Dépêche-toi, avant qu'il ne soit trop tard ! »

Alors, je compris que c'était LUI qui avait parlé, Loup Blanc.

Simplement, sa voix avait résonné directement dans mon esprit... J'essayai de penser à quelque chose, pour COMMUNIQUER avec lui : « Comment puis-je aller chercher cette étoile ? »

Il sourit, montrant ses dents pointues, et me parla dans mon esprit : « Ne t'inquiète pas, je t'aiderai, car nous sommes *amis* ! »

Puis il tendit le museau vers les étoiles, inspira profondément, et **souffla** avec force dans l'air glacé de la nuit.

Comme par enchantement, son souffle se congela pour former un chemin de **GLACE** brillante, une passerelle entre le sommet de la montagne et l'étoile ! Le loup se coucha à mes pieds, pour que je puisse monter sur son dos... et il se mit à **gALoPeR** à grandes enjambées sur le chemin que son propre souffle avait tracé dans le ciel ! Je m'efforçai de ne pas regarder en bas, parce qu'il y avait vraiment de quoi avoir le VERTIGE : de part et d'autre de ce pont scintillant s'étendait le ciel OBSCUR et infini.

QUELLE FROUSSE TERRIBLE !

Mais je tins bon, car je savais que la douce Floridiana, la reine des Fées, comptait sur mon aide… Et puis c'était le talisman du courage que je devais conquérir, et pour cela il fallait bien faire preuve d'un peu de courage !

Après une course interminable au long de ce chemin, nous arrivâmes ENFIN à l'endroit exact où j'avais

vu briller une lumière plus vive que les autres. Le loup m'encouragea avec un aboiement et je n'hésitai pas : je tendis la patte et saisis l'étoile.

Elle était petite et très froide, et brillait dans ma patte comme la LUMIÈRE de mille diamants !

Elle alla aussitôt rejoindre les trois autres talismans…

L'étoile !

L'ÉTOILE DE DIAMANT
Le quatrième talisman

C'est une petite étoile de diamant qui brille d'une lumière dorée. Elle est un symbole de courage, et pour s'en emparer il faut n'avoir peur de rien ! Ce talisman est conservé par Loup Blanc, un gigantesque loup qui vit depuis mille ans sur les Cimes-Enneigées. Depuis mille ans, le gardien attend celui à qui il doit remettre le quatrième talisman, pour pouvoir retourner parmi son peuple, le peuple des loups blancs. L'Étoile de diamant a un pouvoir extraordinaire : elle sait donner du courage à celui qui a perdu l'espoir !

Le loup frétilla de la queue, tout CONTENT. «Depuis mille ans, je veillais sur le quatrième talisman. Et depuis mille ans, j'attendais une souris. Non pas pour la dévorer, comme le prétendent les légendes, mais parce que, en rêve, on m'avait annoncé que c'est à elle qu'était destinée l'Étoile de diamant! À présent que tu es venu, je vais enfin pouvoir retrouver mon peuple, le peuple des loups blancs. Quant à toi, il te faudra conquérir la Plume de cristal, qui se trouve sur la planète de Cristal, aux confins du ciel Fantaisique!»

Mon ami!

Loup Blanc marqua une pause en **fixAnt** grave-ment mes yeux, comme pour y lire s'il devait continuer ou se taire. Il reprit : « Sache que bien des héros ont essayé de conquérir la Plume de cristal, mais que... aucun n'y est parvenu ! »

J'avais tellement la frousse que j'avais les moustaches qui **VIBRAIENT**, tandis que les questions se pres-saient dans mon esprit.

Le loup le sentit et me tranquillisa : « Inutile de te faire du souci ! Affronte les difficultés une à une : en premier lieu, tu dois penser à la manière d'arriver à la planète de Cristal... »

Je continuai notre **DIALOGUE** silencieux : « C'est vrai, comment vais-je pouvoir l'atteindre ? Je ne sais pas voler ! »

Il m'invita de nouveau à monter sur son dos et répon-dit : « Je me charge de te trouver un véhicule... »

Puis il s'**ÉLANÇA** au galop sur l'arche de glace, cette fois jusqu'à une étoile filante à la longue traîne **LUMINEUSE**, et il me dit : « Vite, mon ami, saute sur cette étoile et accroche-toi à sa chevelure resplendissante ! »

J'hésitai, car ma peur était si forte que je craignais de

m'évanouir, mais il insista : «Allez, aie confiance en moi!»

Ces mots me donnèrent le **COURAGE** qui me manquait. Je bondis dans le ciel noir et m'agrippai à la chevelure de l'étoile.

Je me retournai une dernière fois pour saluer Loup Blanc, et dans mon esprit **RÉSONNÈRENT** ces mots : «Bonne chance, mon ami!»

Une seconde plus tard, j'étais déjà loin... L'étoile filante volait dans le ciel à une vitesse **super-sonique**, zigzaguant entre les étoiles et les planètes, atteignant des galaxies lointaines.

De temps en temps, une météorite nous frôlait et je poussais un cri de terreur...

SCOUIIIT... QUELLE TROUILLE!

En plus, la poudre dorée de l'étoile m'effleurait le museau, chatouillant mes moustaches et me donnant des **DÉMANGEAISONS** dans le nez!

Mais ce que je **VOYAIS** autour de moi était si merveilleux que, enfin, j'oubliai ma peur, les démangeaisons et même le vertige.

Plus l'étoile filante progressait, plus les étoiles se raréfiaient. Il n'y avait plus autour de moi que l'OBSCURITÉ et le silence. Nous nous enfonçâmes dans un ciel de plus en plus noir et dans un silence de plus en plus profond, jusqu'à ce que je voie apparaître dans le LOINTAIN une minuscule planète qui brillait d'une lumière très pure...

LA PLANÈTE DE CRISTAL

À LA RECHERCHE
DE LA PLUME DE CRISTAL

LA PLANÈTE DE CRISTAL

UN MONDE
DE CRISTAL

Lorsque l'étoile filante se rapprocha de la planète, je compris pourquoi celle-ci brillait autant : elle était entièrement faite d'un cristal très pur et scintillant !

L'étoile se dirigea à toute vitesse vers une majestueuse grille de cristal qui, comme par enchantement, s'ouvrit pour nous livrer passage : on aurait vraiment dit qu'elle attendait notre arrivée !

Mais je n'en avais pas fini avec les surprises.

Dès que nous touchâmes le **SOL** de cette planète extraordinaire, l'étoile filante elle-même se transforma en une jeune fille aux splendides vêtements et à la longue chevelure dorée.

Elle parla, et sa voix résonna comme mille coupes de cristal qui *tintinnabulent* :

– Ô toi qui de loin arrives à présent
pour chercher le cinquième talisman,
c'est ici que tu peux le trouver,
et, si tu es sage, le gagner !
Mais si tu échoues à l'épreuve de pureté,
en statue de cristal tu seras transformé…
Et si avant l'aube tu ne reviens vers moi,
dans le vide infini, hélas, tu tomberas !

Un instant plus tard, la jeune fille redevint étoile filante, et reprenait sa course dans le ciel. Je criai :

Ô toi qui de loin arrives à présent…

– Petite étoile, je t'en prie, reviens, ne me laisse pas !

Mais elle était déjà loin et je me retrouvai seul, perdu et terrifié, sur cette planète mystérieuse, aux confins du ciel étoilé, loin de ma maison et de ma famille. Je m'assis, inconsolable, et PLeURai, mais mes larmes tombaient sur le sol en tintant :

DLING ! DLING ! DLING !

Pendant un instant, j'eus peur d'avoir déjà été changé en statue de cristal et je contrôlai mes **PATTES** et ma queue avec inquiétude... Je me tirai même un poil de moustache !

AÏE !

J'avais senti une légère douleur, et cela me rassura : j'étais encore une souris en pelage et moustache ! Ouf... quel soulagement, je n'avais pas encore été métamorphosé ! Pour le moment, en tout cas...

J'avais une PEUR atroce, mais il me fallait réagir :

le royaume de la Fantaisie était en danger et Floridiana comptait sur moi.

Je devais poursuivre ma mission au plus vite : si je ne l'avais pas terminée avant l'**AUBE**, je dégringolerais dans le vide avec tous les talismans que j'avais récupérés jusqu'alors et mes efforts auraient été vains.

Je me mis sans tarder à **EXPLORER** ce monde mystérieux, à la beauté rare et inquiétante, où tout était fait de cristal aux magnifiques reflets **irisés**.

Je suivis un sentier de *cristal*, atteignis une vallée traversée par un ruisseau de *cristal* bleu. À côté de galets de *cristal* gris poussaient des **FLEURS** de *cristal* aux reflets multicolores. Plus loin, sur l'horizon, j'apercevais de hautes montagnes de très pur *cristal* bleuté.

C'était un paysage **merveilleux**, mais je ne parvenais pas à profiter complètement de sa beauté, car il y avait quelque chose de bizarre…

En outre, je remarquai tout au long du **SENTIER** de curieuses statues de cristal, toutes différentes les unes des autres : il y avait des chevaliers, des savants avec des **livres** sous le bras, des magiciens et des jeunes filles… mais tous avaient un point commun : une expression étonnée, comme s'ils avaient été pris par **SURPRISE**…

Puis je compris, en frissonnant, que ce n'étaient

Brrr…
quelle frousse !

pas de simples statues : c'étaient les **HÉROS** qui avaient débarqué avant moi sur cette planète à la fois étrange et fascinante, pour essayer de conquérir la très *précieuse* Plume de cristal et qui, ayant échoué, avaient été transformés en... **STATUES DE CRISTAL !**

L'ÉPREUVE
DE LA PURETÉ

C'est alors que j'entendis un chant très **doux**.
J'ouvris tout grand les yeux et vis, au pied d'un chêne,
une grande **balance** de cristal doré et un joli rossi-
gnol de cristal qui chantait :
– *Étranger, toi qui viens d'une lointaine terre,*
Ce monde te paraîtra extraordinaire.
Ici, tout est en cristal transparent,
Tout est clair, limpide et charmant.
Si le talisman tu veux remporter,
Il faut vaincre à l'épreuve de pureté,
Et déposer sur le plateau de la balance
Un cœur sincère, léger, plein de confiance...
Mais si ton cœur est gros, lourd et pesant,
Tu resteras ici jusqu'à la fin des temps,
Pour rappeler à tous les voyageurs
Que le mensonge n'apporte que le malheur !
L'oiseau vola jusqu'à moi et, désignant la balance,

m'invita à y monter. Je compris que c'était là l'épreuve qui m'attendait : allais-je réussir ?

Je montai en hésitant sur l'un des plateaux, qui s'abaissa aussitôt.

Puis, du bec, l'oiseau s'arracha une plume de cristal de la queue, la posa sur l'autre plateau et se remit à CHANTER :

– Si ton cœur est sincère,
comme la plume il sera léger.
Mais s'il est lourd, au contraire,
de mensonges et de fausseté...

En cet instant difficile, j'essayai désespérément de me souvenir si j'avais dit des **MENSONGES**. Hélas, bien souvent, n'aurais-je pas pu être plus honnête, plus sincère, plus loyal ?

Je me dis en FRISSONNANT que mon cœur était lourd et que, au lieu de conquérir la Plume de cristal, j'allais faire partie, moi aussi, de cette lugubre collection de statues de cristal que j'avais vue au long du chemin !

Les plateaux de la balance oscillaient de HAUT en BAS, de HAUT en BAS, de HAUT en BAS !

Pris de panique, j'attendais qu'ils s'immobilisent pour

connaître le sort qui m'était réservé : resterais-je une souris ou serais-je transformé en **STATUE DE CRISTAL** ? Scouiiit ! Quelle frousse !

Enfin, les plateaux s'immobilisèrent, parfaitement **ÉQUILIBRÉS**, et le rossignol chanta :

– Enfin, un voyageur sincère est arrivé…
et le talisman lui sera confié !

Puis il prit la Plume de cristal dans son bec et me la tendit solennellement.

Je me **HÂTAI** d'accrocher le talisman à la chaîne d'or, avec les quatre autres que j'avais déjà conquis.

L'oiseau se mit ensuite à voleter autour de ma tête

Enfin, un voyageur sincère !

La Plume de cristal !

LA PLUME DE CRISTAL
Le cinquième talisman

C'est une très belle plume de cristal, légère et transparente comme un cœur sincère. Elle resplendit comme la vérité, qui allège notre cœur lorsque nous la disons, qui rend notre regard transparent parce que nous n'avons rien à cacher, et qui rend beau tout ce que nous disons, parce que la vérité est toujours ce qu'il y a de mieux à dire.

et à chanter d'une voix très douce : il était heureux que quelqu'un dont le **COEUR** était pur soit venu dans ce monde de cristal, après si longtemps. Ses chansons étaient si harmonieuses que je m'arrêtai longuement pour l'écouter, oubliant tous mes problèmes, tous mes soucis…

OMELETTE À LA SOURIS (AVEC LES OS) !

Je m'aperçus alors que le ciel s'éclaircissait et je me souvins des paroles de l'étoile filante… L'aube approchait et je devais partir ! Tout de suite !
SCOUIIIIIIIIIIITTT !
Je remontai au pas de course le chemin que j'avais suivi à l'aller, jusqu'à ce que la jeune fille-étoile surgisse devant moi.
Inquiet, je remarquai qu'elle était très pâle, presque TRANSPARENTE.
Elle m'encouragea :
– Vite, allons-y, partons ou tout sera perdu ! Je vais bientôt m'évanouir…
Elle se transforma de nouveau en étoile filante et nous reprîmes le chemin que nous avions parcouru plus tôt, de galaxie en galaxie, d'étoile en étoile, de planète en planète.
L'étoile filante était de plus en plus pâle à mesure que la

nuit cédait du terrain, et je fixais le ciel avec **INQUIÉ-TUDE**, car je savais que bientôt le soleil se lèverait… Puis j'eus une idée : j'effleurai le Médaillon du Soleil et de la Lune et exprimai le désir que la nuit dure un peu plus longtemps. Comme par enchantement, la **NUIT** se prolongea de quelques heures ! Mais le jour continuait tout de même d'approcher… Soudain, je vis apparaître la mer en dessous de moi. Et j'entendis une voix qui m'appelait :

– Hé, toi, Chose !

Scouiiit!

Hé, toi, Chose!

Je tooombe !

C'était Grustave, à bord d'une drôle de montgolfière, qu'il avait fabriquée avec sa coquille et un ballon rempli d'air ! Il agitait une pince pour me saluer, et moi aussi je le saluai avec enthousiasme, mais c'est à cet instant que l'étoile du matin apparut : la lumière de l'aube ÉCLAIRCIT le ciel, l'étoile filante s'évanouit et...

JE TOMBAIIIIIIIII !

Je crus que j'allais plonger dans la mer, mais je m'aperçus que juste en dessous de moi il y avait un récif, sur lequel se dressait un grand et mystérieux château.

Hélas, j'allais atterrir sur le toit de ce château et m'*écrabouiller,* me transformant en une malheureuse omelette à la souris (avec les os) !

Mais, au lieu de m'écrabouiller sur le toit, je tombai en plein dans une cheminée et poursuivis ma **CHUTE** dans le conduit de fumée.

Je toussai tout en me couvrant de suie de la tête aux pieds, mais la seule chose à laquelle je pensais, c'était : « Où vais-je m'écraser ? » Ou plutôt : « *Où s'écrabouillera l'omelette à la souris, c'est-à-dire moi ?* »

Ce que je ne pouvais pas savoir, et que je découvris au tout *dernier* moment, c'était que (heureusement pour moi !) j'étais tombé

Au secouuurs !

dans la cheminée d'une cuisine et qu'à l'arrivée j'allais trouver une marmite pleine de soupe de légumes qui mijotait sur le **FEU**…

Je fis un plongeon dans le potage et les morceaux de légumes **tendres** amortirent ma chute. C'est ainsi que je parvins à ne pas me briser les **OS** !

Hélas, la soupe, qui était sur le feu depuis un petit moment, était très chaude, et je bondis aussitôt hors de la marmite en hurlant de tout mon souffle :

– AÏE ! ÇA BRÛLE !!!

SPLASH !

Aïe ! Ça brûle !

Et je découvris aussi que le cuisinier avait versé dans la soupe une bonne dose de piment très *piquant* ! J'en avais avalé une gorgée, et j'eus immédiatement les larmes aux yeux et de la fumée qui me sortait par les oreilles. Tout endolori, je murmurai :

– AÏE... ÇA PIQUE !

SOUPE
DE BERNARD-L'ERMITE
(AVEC LES PINCES)!

Un instant plus tard, quelqu'un d'autre tomba de la cheminée et, comme moi, *PLONGEA* dans la marmite et en ressortit en hurlant :

– AÏÏÏE !

C'était Grustave, qui se releva, tout cabossé, en marmonnant :

– Ouf! J'ai bien cru que j'allais pour de bon me transformer en **SOUPE DE BERNARD-L'ERMITE** (avec les pinces) !

– Grustave, mon ami! m'exclamai-je. Quel soulage-

ment de te voir en pelage et en moustaches... euh, je veux dire... en carapace et en pinces ! Tu as réussi à sauver ta tante et tous les petits bernard-l'ermite ?
– Bien sûr ! répondit-il. J'ai appelé toute ma famille à la rescousse et, tous ensemble, nous avons réussi à démolir la digue qui asséchait la baie de la Rascasse !
Puis, devenant grave, il murmura :
– *Chose*, je dois te dire une *chose* : tu es tombé tout droit dans la bonne *chosée* où tu dois chercher le prochain *chosan*...
Je criai :
– Si tu parles comme ça, je ne comprends rien !
Il me donna une tape de la pince sur l'épaule.
– Ce n'est pas ta faute, *Chose*, si tu es comme ça : c'est de naissance, sans doute. Dans toutes les *choses*, tu ne comprends pas une *chose*, tu es incapable de *choser* une *chose* et...
Je hurlai :
– ASSEEEEEZ ! Je dois trouver l'endroit où est conservé le sixième talisman !
Il secoua la tête.
– C'est ce que j'essaie de te dire depuis tout à l'heure, *Chose* ! Tu y es !

J'écarquillai les **YEUX**.

– Quoi ? Tu veux dire que c'est ici le *chose*, c'est-à-dire… le bon endroit ?

Le bernard-l'ermite s'impatienta :

– Mais enfin, tu as les oreilles rembourrées d'algues ou tu fais semblant de ne pas comprendre ? La réponse est oui ! C'est ici ! Qu'attends-tu pour commencer la *chose*, c'est-à-dire la recherche ?

Puis il feuilleta son dictionnaire du royaume de la Fantaisie.

– Comme j'allais justement t'expliquer, *Chose*, avant que tu fasses une CRISE DE NERFS, le *choseau*, c'est-à-dire le château, est l'endroit où est conservé le *chosan* que tu cherches, bref, le sixième talisman…

Je demandai :

– La Licorne d'argent ?

– Oui, cette *chosette*-là. Mais attention, *Chose*, parce que ce château a l'air accueillant, alors qu'en réalité il est plein de *chosèges*, c'est-à-dire de pièges…

Il regarda autour de lui d'un air méfiant et, baissant la voix, chuchota :

– Le nom de ce *chose* est le *château des Rêves* !

LE CHÂTEAU
DES RÊVES

J'étais donc arrivé dans l'endroit où était conservé le sixième talisman ! Mais j'étais inquiet. Grustave avait parlé de pièges…

– Tu as dit des p-p-pièges ? Mais de quel genre ?

Il referma le DICTIONNAIRE du royaume de la Fantaisie avec un claquement sec.

– Bah, qu'attends-tu de moi, *Chose* ? C'est un **DICTIONNAIRE**, ce n'est pas un manuel d'instruction ! Si c'était aussi facile de *chosifier* ici et là entre deux *choses* pour *choser* le talisman, si c'était une *chosette* ou une *chosine*, tu crois que Floridiana aurait fait appel à toi, *Chose* ?

Je soupirai :

– *C'est bon, j'ai compris.*

Brrr…

Après toi…

Je saisis un chandelier doré et, accompagné de l'insupportable bernard-l'ermite, je me mis à explorer les pièces de ce **MYSTÉRIEUX** château.

Il y en avait beaucoup, toutes décorées de manière merveilleuse... J'avais l'impression d'être dans un rêve splendide, et c'est la raison pour laquelle ce château était appelé le *château des Rêves* !

On y trouvait tout ce qu'un invité peut désirer. Une **immense** cuisine équipée pour préparer toutes sortes de bons petits plats... une somptueuse salle à manger où, sur une table recouverte d'une élégante nappe rose, étaient disposés des plats remplis de toutes les nourritures les plus délicieuses qu'on puisse imaginer (évidemment tous à base de FROMAGE, le rêve de toutes les souris !)... un salon plein de meubles de grand PRIX... une bibliothèque avec des livres rares... une salle de bains en **MARBRE** avec une baignoire déjà remplie d'eau chaude et parfumée... une garde-robe avec une énorme armoire où étaient accrochés un tas de vêtements qui étaient tous à ma taille... une chambre avec un lit à baldaquin et de fins draps de LIN...

Fasciné par toutes ces choses extraordinaires, je

commençais peu à peu à me distraire. Je restai un long moment dans la salle à manger, car il aurait été dommage de ne pas goûter au moins une **BOUCHÉE** de toutes ces gourmandises !

Un peu de tarte à la cancoillotte… un petit morceau de pâté au **ROQUEFORT**… une portion de fricassée au camembert… une part de gâteau à la mimolette et au chocolat… une boule de glace au saint-nectaire…

Oh!!!

MIAM, QUELS DÉLICES !

Puis, rassasié, je retournai à la cuisine et me préparai une bonne tasse de CAMOMILLE pour digérer toute cette nourriture. Après avoir attendu quelques heures pour la digestion, je pris un bon bain chaud aux sels parfumés !

Ensuite je m'attardai dans la vaste **salle de bal** et m'assis confortablement dans un des fauteuils de velours rouge. Au fond de la salle, un orchestre INVISIBLE jouait une musique très douce et mélodieuse.

Enfin, je montai à l'étage supérieur, entrai dans la chambre, enfilai un pyjama et me blottis sous les couvertures, fermai les yeux et me mis à ronfler.

C'est alors que quelqu'un me pinça le nez.

Je me réveillai en **SUR-SAUT**.

– Aïe !

Grustave me hurla dans les oreilles :

– DEBOUUUT ! Tu as

oublié que tu devais rechercher le *chosan*... le talisman ?

Je bredouillai :

– Le **TALISMAN**, c'est-à-dire la tarte au saint-
nectaire, oui... le livre... enfin, je veux dire le bain
chaud...

Le bernard-l'ermite continua :

– *Chose*, tu n'as pas encore compris que toutes ces
belles *choses* ne sont que des illusions préparées par
le Mage de la Perle noire pour te détourner
de la recherche du talisman ?

Je me FROTTAI les yeux, toujours ensommeillé.
– Oh, je comprends. **DOMMAGE**, c'était tellement agréable…
Puis je me levai, me rhabillai et repartis à la recherche du talisman.

LE LABYRINTHE
DES ILLUSIONS

Le bernard-l'ermite me suivait en me pinçant la queue de temps en temps, «pour me tenir éveillé» comme il disait, alors même que je lui répétais que je n'en avais vraiment pas besoin. Nous **EXPLORÂMES** à nouveau le château et finîmes par pénétrer dans un labyrinthe très étrange…

À l'entrée, je lus cette inscription :

LABYRINTHE DES ILLUSIONS

Dès que je franchis la porte, je compris pourquoi il s'appelait ainsi : c'était un labyrinthe de miroirs ! Les murs étaient faits de très **hautes** plaques de miroir astiquées à la perfection, qui reflétaient chaque image une, deux, trois… mille fois et même plus, car chaque image reflétait une autre image qui à son tour reflétait une autre image et ainsi de suite…

Inquiet, je demandai à Grustave :

– Comment allons-nous pouvoir traverser ce labyrinthe sans nous perdre ?

Il se vanta, en se donnant un coup de pince sur le front :

– J'ai étudié la carte de ce labyrinthe dans le dictionnaire du royaume de la Fantaisie, et elle est comme imprimée dans mon cerveau, détour après détour !

Nous avançâmes dans le labyrinthe en suivant les indications de Grustave, qui criait :

– *Chose*, tournons à GAUCHE, puis à DROITE, puis allons tout droit, et encore à DROITE, à DROITE, à DROITE... et enfin à gauche... et maintenant tout droit pendant un petit moment, puis demi-tour pendant encore un petit moment, puis encore à DROITE, à GAUCHE, DROITE, GAUCHE, GAUCHE, DROITE, GAUCHE, DROITE...

Finalement, le bernard-l'ermite poussa un profond soupir, me fixa dans les yeux et annonça :

– *Chose*, je dois te dire une *chose* : nous sommes *chosus* dans le *chosinthe*.

Je ne compris pas :

– QUOIII ?

Soudain, je devinai :

– Tu veux peut-être dire que nous sommes PERDUS dans le labyrinthe ?

Il acquiesça :

– En effet, *Chose*. C'est bien cela.

Je hurlai :

– Mais tu m'avais dit que tu te souvenais parfaitement du parcours, détour après détour !

Il écarquilla les yeux d'un air surpris.

– Ah bon ? J'ai dit ça ?

Je m'assis dans un COIN et me mis à pleurer.

– Nous ne sortirons jamais de ce labyrinthe, nous ne trouverons jamais le sixième talisman, nous ne mènerons jamais la mission à son terme... Je ne réussirai pas à sauver le royaume de la Fantaisie et je ne pourrai pas tenir la promesse que j'ai faite à Floridiana !

C'est alors qu'il se produisit quelque chose de bizarre.

L'Étoile de diamant que je portais au cou, suspendue à la chaîne d'or, BRILLA d'un éclat intense.

Je l'examinai et vis qu'elle se déplaçait en avant et sur le côté : je compris que, comme une boussole, elle montrait le chemin à suivre pour sortir de ce terrible labyrinthe !

Je me levai aussitôt et commençai à suivre les indications de l'Étoile de diamant, jusqu'à ce que nous arrivâmes au centre du labyrinthe, où nous attendait une autre surprise...

Au-dessus d'un guéridon d'argent, je vis quelque chose qui brillait : c'était un petit bijou d'argent en forme de Licorne, le talisman que je recherchais !

Je me précipitai vers la petite table, en tendant la patte, tandis que Grustave hurlait :

– Attends, Chose ! C'est peut-être un piè...

Je pris la Licorne, mais une seconde plus tard je compris ce que voulait dire Grustave...

Car le sol s'ouvrit sous mes pattes et je tombai dans un piège que le Mage de la Perle noire avait installé juste devant le guéridon ! Et pendant que je

tombais, en serrant le petit pendentif entre mes doigts, je m'aperçus d'autre chose. Ce que je serrais dans la patte, ce n'était pas le vrai talisman, parce que les yeux de la Licorne n'étaient pas deux turquoises, mais deux petites **PERLES** noires !

LA PLUME
ET LA LICORNE

J'atterris au fond de la **trappe** avec un bruit sourd. Levant la tête, je vis le visage de Grustave, tout en haut, qui criait :

Monte, Chose !

– Je te l'avais bien dit, *Chose*, de faire attention, mais tu ne m'écoutes jamais !

Puis, en **SOUPIRANT**, il alla chercher dans sa coquille une très longue échelle de corde en algues tressées et la déroula jusqu'à moi. Je remontai lentement.

Il demanda :

– Et le talisman ?

Je le lui montrai et expliquai que les **yeux** n'étaient pas les bons.

Puis, **SUIVANT** les nouvelles indications de l'Étoile de diamant, détour après détour, nous sortîmes du labyrinthe des Illusions.

Nous nous retrouvâmes dans une vaste salle au sol pavé de MARBRE bicolore, blanc et noir. Sur chaque plaque était gravé un symbole héraldique : un écu divisé en deux, avec d'un côté le DESSIN d'une plume, de l'autre celui d'une Licorne.

J'interrogeai mon ami :

– Et maintenant, que faisons-nous ?

Grustave se gratta la tête avec une pince.

LE FAUX TALISMAN

– Ah, ce n'est pas à moi qu'il faut demander ça, *Chose*, c'est toi, le héros, c'est toi, le chef, c'est toi, le CHEVALIER DES SEPT MERS, c'est toi, le…

FATIGUÉ, je secouai la tête.

– C'est bon, j'ai compris. Tu veux dire que c'est ma faute si nous n'avons pas encore réussi à récupérer le talisman et que nous avons échoué…

Il soupira :

– Que fais-tu, *Chose*, tu déclares forfait ? Dois-je téléphoner à Floridiana pour lui dire que tu renonces à ta mission et que nous rentrons ?

Je me tus, car j'étais concentré sur quelque chose d'étrange… Sur le mur devant moi se trouvait un écusson de pierre sur lequel était **gravé** le même symbole héraldique que sur le sol : *la plume et la Licorne.* Je tressaillis, car je venais de m'apercevoir que la silhouette de la plume était IDENTIQUE à celle de la Plume de cristal, le dernier talisman que j'avais récupéré ! Je la détachai de la chaîne et la posai sur le symbole héraldique : elle s'emboîtait parfaitement à l'intérieur du bas-relief !

Comme une clef, elle **déclencha** un mécanisme qui se mit en mouvement en grinçant.

C'est pareil…

PETIT JEU

Y A-T-IL UNE DALLE DIFFÉRENTE DES AUTRES ? LAQUELLE ?

Un passage secret !

Le mur pivota, dévoilant un passage secret qui conduisait à une pièce cachée…

Dans cette pièce *secrète* était suspendue une grande et somptueuse tapisserie représentant une Licorne à la corne d'ARGENT qui broutait l'herbe d'un pré à côté d'une charmante jeune fille à la chevelure blonde. Plus loin s'*écoulait* une cascade d'eau pure.

Je m'approchai, surpris, et lus ce qui était écrit dans un long cartouche au bas de la tapisserie :

Dors et fais des rêves précieux, Fais de longs rêves merveilleux.
Si tu dors ici près de moi, La force du rêve découvriras !

LA FORCE
DES RÊVES

Grustave ronchonna :

– Et voilà, maintenant, il va falloir qu'on dorme pour trouver le *chosan*, je veux dire… le talisman !

Puis il rangea la coquille près de moi et sauta dedans en *soupirant* :

– Fais de beaux rêves, *Chose*. Et tâche de ne pas *choser*, c'est-à-dire de ne pas ronfler, d'accord ?

Un instant plus tard, c'est lui qui **RONFLAIT** à plein volume !

Je me bouchai les oreilles, essayant d'ignorer les bruits du bernard-l'ermite... Et, peu après, je m'endormis à mon tour.

Et je **rêvais**...

Je rêvais que je me trouvais à l'intérieur de la tapisserie, comme si j'étais dans un film !

J'entendais les oiseaux pépier, les feuilles bruisser et l'eau d'un ruisseau couler.

Je suivais un chemin de pierres blanches qui conduisait au pré, au milieu des arbres...

La jeune fille et la Licorne se tournaient vers moi et me parlaient :

– Nous savons ce que tu cherches et nous en sommes les gardiennes. Seul celui qui sait rêver peut conquérir cet objet précieux ! Tu es capable de rêves pleins de merveilles et de douceur ; c'est grâce à la fantaisie et à la pureté de ton esprit que tu es ici et que tu peux nous comprendre...

La jeune fille et la Licorne me conduisaient devant la cascade d'eau claire, autour de laquelle flottait un doux parfum, et elles me montraient le fond, où je

voyais scintiller quelque chose : c'était un petit talis-
man d'argent ! Je tendais la patte, mais comme je le
saisissais, je me sentais happé par un tourbillon et...

... je me **réveillai**.

Je serrais dans la patte le sixième talisman : la Licorne
d'argent, aux **YEUX** turquoise. Ému, je l'accrochai
à la chaîne d'or avec les autres.
Il ne me restait plus qu'un talisman à conquérir, et ma
mission serait accomplie !

La Licorne d'argent
Le sixième talisman

La Licorne d'argent est un petit pendentif d'argent en forme de Licorne, dont les yeux sont deux précieuses turquoises. Il est gardé dans une salle secrète du mystérieux château des Rêves. Ce talisman représente l'importance des rêves : seul celui qui, les yeux fermés ou les yeux ouverts, sait rêver à des choses belles et pleines de bonté possède le don de la créativité et de la fantaisie, et est capable de faire du monde qui l'entoure un endroit merveilleux.

Regarde attentivement!

DÉCOUVRE LE PARFUM DES RÊVES !

CONTENT ? COMME ÇA, TU AURAS QUELQUE CHOSE À RACONTER !

Grustave et moi nous dirigeâmes vers la porte du château des Rêves et, convaincu que le **PIRE** était passé, j'en franchis le seuil... Mais j'écarquillai les yeux : le récif sur lequel était bâti le château se dressait au milieu d'une mer en *tempête* ! Le ciel était d'un gris très noir, déchiré à intervalles irréguliers par de sinistres **ÉCLAIRS**. Le vent déchaînait des vagues gigantesques qui retombaient sur le récif, se brisant en milliers de gouttelettes **GLACIALES**.

Grustave, étrangement tranquille, annonça :

– Et maintenant, *Chose*, nous allons faire un bonne *chosade*, c'est-à-dire une baignade ! Tu as ton maillot, n'est-ce pas ?

Je hurlai :

– Il n'est pas question que je mette un seul orteil dans l'eau avec une tempête aussi furieuse !

Il m'aspergea d'eau froide.

– Allez, *Chose*, ne sois pas GEIGNARD, l'eau est bien froide, les vagues sont bien hautes… et si ça se trouve, la foudre va te frapper en plein sur le crâne, comme ça, tu auras quelque chose d'intéressant à raconter à ton retour *(si tu rentres vivant, bien sûr)*. Mais ne t'INQUIÈTE pas : j'ai un parent qui travaille à l'hôpital, et si tu as besoin d'être RANIMÉ après la baignade, il fera tout son possible *(mais je ne garantis pas que tu survivras, hein !)*.

Quelle tempête !

Je m'agrippai à un rocher et hurlai plus fort :

– *Je ne veux pas plonger dans la mer, j'ai peur !*

C'est alors que j'entendis une petite voix qui appelait, tout effrayée :

– Au secours !

Sur le rocher, devant moi, je vis un petit poisson jaune à rayures bleues, qu'une vague plus haute que les autres avait jeté sur le récif. Ce **POISSON** se débattait, effrayé, haletant.

Je courus jusqu'à lui et le rejetai aussitôt à la mer. Pendant qu'il plongeait dans les vagues, je l'entendis crier :

– *Merci,* mon sauveur ! Je n'oublierai jamais ta très grande **générosité**, parole de Zipo ! Celui qui donne recevra, compte sur moi !

Je finissais de saluer le petit **POISSON**, lorsque je remarquai dans le lointain une gigantesque tornade qui soulevait les vagues de la mer sur son passage.

Et au centre se dissimulaient deux yeux méchants qui regardaient dans tous les sens, à la recherche de Grustave et moi-même ! Une voix profonde gronda :

**– Je vous cherche
et je vous trouve-
rai !**

Grustave se réfugia
aussitôt dans sa coquille,
me lançant :
– À l'abri, *Chose*, avant
qu'il ne soit trop tard !
Mais il était **Déjà**
trop tard.
Une seconde plus tard, la
tornade nous souleva
dans les airs comme
des brindilles, tour-
nant sur elle-même
à une vitesse **FOLLE**.
Elle nous jeta ensuite
au cœur d'un effroyable
gouffre et nous fûmes
entraînés dans les profondeurs marines.
Autour de nous, l'eau était de
plus en plus bleue, jusqu'à

Je vous trouverai !

ce que la tornade nous dépose au fond de l'océan, dans une grotte **SOMBRE** et **EFFRAYANTE**. Grustave jeta autour de lui un regard plein de terreur, puis se serra contre moi et balbutia :

– *C-Chose*, je dois te c-communiquer une nouvelle é-épouvantable… N-Nous s-sommes… dans le GOUFFRE DES MYSTÈRES !

LE GOUFFRE des MYSTÈRES

À LA RECHERCHE
DE LA PERLE DORÉE

1. Gouffre aspirant
2. Barrière des Coraux noirs
3. Décharge des coquilles vides
4. Grand dépôt des perles
5. Abîme sans fond
6. Prison du Désespoir
7. Refuge des poissons perdus
8. Caverne de l'Obscurité-Profonde
9. Récif des Rêves de liberté

Le gouffre des Mystères

SGUISSSH ! SWISSSH ! SGUISSSH !

Soudain, une **OMBRE** noire se projeta sur les murs de cette épouvantable caverne…

C'était l'ombre d'une créature **énorme**, **MONSTRUEUSE**, terrifiante : un calmar géant ! Il s'approcha de nous en rampant sur le fond avec ses tentacules **VISQUEUX**.

Il avait des yeux fixes et dépourvus d'expression. Grustave, terrorisé, s'*accrocha* à mon cou en hurlant :
– *Chose*, nous sommes *chosis*, je veux dire finis ! Ce *chose* va nous *choser* tout rond, je veux dire nous manger tout rond, tout cru !
Puis il s'*ÉVANOUIT*.
Je rattrapai le bernard-l'ermite juste au moment où le calmar, tendant un *TENTACULE*

visqueux, se saisit de nous et nous jeta dans une petite **FOSSE** sombre, avec une minuscule fenêtre en hauteur : une prison.

Et il s'éloigna, en traînant ses tentacules VISQUEUX sur le sol. En me retrouvant dans cet endroit, je me dis que tout était perdu et qu'il n'y avait plus rien à faire… **J'AVAIS ÉCHOUÉ !** J'étais très triste. Et plus j'étais triste, plus ma prison devenait *petite* et **SOMBRE**. Et plus elle devenait *petite* et **SOMBRE**, plus j'étais triste… Je ne pouvais pas le savoir, mais cette prison était le produit d'un sinistre enchantement du Mage ! Je me blottis contre une **PAROI**…

Grustave s'était encore évanoui et, à mon grand désespoir, je ne pouvais pas compter sur lui ! Mais au moment

Snif… sob…

où je croyais que tout était perdu, je vis soudain quelque chose qui brillait dans le noir. Je posai la patte sur ma besace en *algues* et en sortis un peu de poudre d'étoile. Elle avait dû y tomber pendant mon voyage avec l'étoile filante !

Elle resplendissait !

C'était une petite lumière faiblarde, mais elle rendit à mon **CŒUR** des pensées lumineuses et je trouvai enfin la force de réagir. Pour commencer, je ranimai Grustave, en l'appelant et en l'éventant :

– Allez, mon ami, **REVIENS** à toi ! J'ai besoin de toi, il nous reste un espoir ! Aurais-tu quelque chose pour nous aider à atteindre la petite fenêtre tout en haut ?

Revigoré, Grustave sortit de la Grustaville et me tendit une CORDE terminée par un crochet.

Waouh !

J'étais plutôt déçu.

– Tu n'as rien pour briser les barreaux ? Un marteau, par exemple ?

Grustave secoua tristement la tête.

– *Chose, ces choseaux sont chosés !* Pour les *choser,* il faudrait une *chosette chosique !* (C'est-à-dire : *Chevalier, ces barreaux sont enchantés ! Pour les briser, il faudrait une baguette magique !*)

Je LANÇAI la corde et, après plusieurs tentatives, réussis à la faire tenir.

Je GRIMPAI jusqu'à la fenêtre, passai le museau entre les barreaux et m'époumonnai :

– Au secours ! Au secouuuurs ! Au secouuuuuuuurs !

Je hurlai longtemps, jusqu'à ce que je voie arriver quelqu'un qui nageait entre les algues : c'était Zipo, le petit poisson que j'avais sauvé avant d'être capturé par la *tornade* !

Il demanda :

– Oh, c'est toi, mon sauveur ! Veux-tu que je t'aide ?

Je répondis, découragé :

– Merci, mais que peux-tu faire, toi qui es si petit ?
Il s'éloigna en criant :

– Aie confiance en moi ! Celui qui donne recevra !

LE MAGE DE
LA PERLE NOIRE

Tout en redescendant au fond de ma prison, je réfléchissais à la manière de récupérer le dernier talisman, la PERLE DORÉE.

Soudain, une voix terrifiante résonna :

> – Je vous cherchais et, enfin, je vous ai trouvés !

Un TENTACULE ouvrit la porte de notre prison et rampa jusqu'à nous, nous attrapa et nous traîna au-dehors.

Sur un autre TENTACULE, le calmar tenait une coquille noire sur laquelle était assis, comme sur un trône, un grand individu portant une **LONGUE** tunique violette et un grand chapeau enfoncé sur la tête. Ses longs cheveux **NOIRS** étaient rassemblés en queue-de-cheval et sa barbe, également noire, était taillée en pointe.

Il portait au cou une grosse PERLE aux reflets sombres. Le Mage s'aperçut que je l'observais et ricana :

– Ainsi, tu es le Chevalier Sans Peur et Sans Reproche, encore nommé CHEVALIER DES SEPT MERS. Tu es à la recherche de la Perle dorée, n'est-ce pas ?

Je rassemblai tout mon courage et répondis, en montrant fièrement le sceau de Floridiana :

– Oui, je suis ici au nom de la *reine Floridiana*, pour demander au gardien de la Perle dorée de me la remettre.

Le Mage éclata d'un rire qui fit trembler mes moustaches de *frousse* et je vis que Grustave aussi avait peur, parce que sa carapace était devenue rose pâle.

Le Mage eut un sourire méchant.

– Bravo, tu as trouvé celui que tu cherchais. Mais j'ai une surprise pour toi : le gardien, c'est le calmar géant, or je l'ai HYPNOTISÉ et à présent il est devenu mon esclave. La Perle dorée, elle, est devenue... la Perle noire que je porte au cou ! Quant à vous, qui avez osé me *défier*, vous aurez la fin que vous méritez !

LA PERLE DORÉE
Le septième talisman

C'est une grosse perle d'or, conservée au fond de la mer, à l'intérieur d'une merveilleuse coquille d'or. Son gardien était le calmar géant. Ce talisman a un pouvoir considérable : il réalise, en les multipliant mille fois, les vœux de celui qui le possède ! C'est pourquoi il n'aurait jamais dû tomber entre de mauvaises mains ! Hélas, le Mage de la Perle noire s'en est emparé, transformant la Perle dorée en une Perle noire au pouvoir néfaste !

Le Mage menaça Grustave pour commencer :

_ Toi, tu finiras dans ma soupe de poisson !

Puis il s'adressa à moi :

– Toi, tu me donneras ce qui me revient : la chaîne d'or avec les six talismans... L'heure de ma **VENGEANCE** contre Floridiana a sonné ! Dès que j'aurai dans les mains les **SEPT TALIS-MANS**, personne ne pourra plus me vaincre ! Mais d'abord je veux que tu voies ce qui va arriver à cause de ton échec. **REGARDE !** Voici ce que sera le destin du royaume de la Fantaisie dès que j'aurai le pouvoir...

Le Mage prit dans la main la Perle, qui grossit tant que je pus voir à l'intérieur. Des images **EFFRAYANTES**

s'étaient formées à la surface : des peuples entiers réduits en esclavage et Floridiana prisonnière du Mage…

Je ne pus retenir des larmes de **DOULEUR**, qui commencèrent à couler sur mon museau.

Le Mage claqua des doigts. À ce signal, le calmar tendit un TENTACULE et arracha de mon cou le collier des sept talismans. Puis il tendit un autre tentacule et attrapa Grustave.

Le Mage eut un ricanement CRUEL :

– J'ai gagné, souris ! Mais avant d'entreprendre la conquête du royaume de la Fantaisie, je vais festoyer… avec une belle soupe de bernard-l'ermite !

Il me fit rentrer dans la prison, qui me parut de plus en plus petite et **ÉTOUFFANTE**, et il s'éloigna, me laissant seul et désespéré.

C'est alors qu'il se passa quelque chose d'**incroyable**…

Le petit poisson Zipo parut à ma fenêtre. Mais, cette fois, il n'était pas seul. Il était accompagné par sa **meilleure amie**, une grande baleine blanche !

La balcine se mit à donner de terribles coups de queue contre ma prison, jusqu'à ce que les barreaux cèdent… Et je fus de nouveau libre !

SBONG!

CELUI QUI DONNE RECEVRA, RIEN N'EST PLUS VRAI QUE CELA !

Je me retrouvai hors de la **PRISON** et vis que Zipo était accompagné de poissons de toutes sortes. Une seiche aux gros yeux **PROÉMINENTS** s'approcha de moi, me tendit un tentacule et me serra la patte.
– J'ai appris ce que tu as fait pour mon ami Zipo ! Merci !
Une grosse rascasse à l'air **BOURRU** marmonna :
– Tu as été généreux, bravo !
Une jeune sardine nagea rapidement autour de moi.
– Les amis de Zipo sont mes amis. Celui qui donne recevra, rien n'est plus **vrai** que cela !
Derrière eux, je vis encore des rougets, des turbots, des thons, des maquereaux, des bars, des langoustes, des huîtres, des calmars, des oursins, des étoiles de mer... tous les amis de **Zipo** ! Et, tous ensemble, ils entonnèrent une joyeuse chanson, la *Chanson de l'amitié marine* !

CHANSON DE L'AMITIÉ MARINE

Que tu sois un petit poisson
ou bien un très gros thon,
si tu as sillonné l'océan,
tu connais sûrement ce chant...
Celui qui donne recevra,
rien n'est plus vrai que cela !
Si ton ami est en danger,
si grâce à toi il est sauvé,
quand tu l'appelleras à ton tour,
il accourra à ton secours !
Celui qui donne recevra,
rien n'est plus vrai que cela !
Celui qui nage en solitaire,
qui sans ami parcourt la mer,
si dans un piège il tombe un jour,
personne ne vient à son secours !
Avec tes amis sois généreux
et vous serez toujours heureux !
Celui qui donne recevra,
rien n'est plus vrai que cela !

Je les remerciai avec **ÉMOTION**, car je n'aurais jamais imaginé qu'un petit geste de générosité puisse un jour me sauver la vie. Ils recommencèrent à **CHANTER**, mais je les interrompis après le premier couplet.

Il y avait une autre vie à sauver,
celle de mon ami Grustave !

Je montai sur un rocher et leur fis un discours, d'une voix forte pour que tout le monde m'entende :

– Vous qui connaissez le sens du mot amitié, je vous

en prie, aidez-moi à sauver mon ami Grustave, qui est prisonnier dans la cuisine du Mage de la Perle noire et qui risque de finir dans une soupe de bernard-l'ermite !

Un cœur de protestations s'éleva de la foule des créatures marines :

– De la soupe de bernard-l'ermite ? Pauvre Grustave ! Nous devons le sauver ! Il faut en finir avec ce **TYRAN** de Mage de la Perle noire ! Pour qui se prend-il ?

Aussitôt, un message se diffusa à toute vitesse dans la

Nous sommes avec toi !

Solution : ce sont les deux poissons ballons roses.

mer : « Rassemblons-nous tous pour combattre le méchant Mage de la Perle noire ! »

Bientôt commencèrent à arriver d'innombrables habitants de la mer, qui voulaient se révolter contre le Mage. Je vis des requins, des orques et d'énormes murènes qui criaient :

– On en a marre du Mage de la Perle noire ! Nous voulons recouvrer notre liberté !

C'est ainsi que ce jour-là, un jour mémorable dans l'histoire des FONDS marins, aucun poisson ne mangea un autre poisson, car tous étaient amis et tous étaient RASSEMBLÉS pour atteindre un même objectif : la liberté.

Je pris leur tête en dégainant mon épée.

– Vous êtes prêts ? Suivez-moi ! Si vous tenez à la LIBERTÉ, l'heure du combat a sonné, l'heure de la victoire est arrivée, glorieuse armée marine !

Je montai sur le dos d'un dauphin, qui partit comme une fusée tandis que je m'agrippai à son aileron pour ne pas tomber.

Très vite, nous arrivâmes devant la caverne de l'Obscurité-Profonde, l'endroit où le Mage de la Perle noire avait installé son ROYAUME !

Tous unis pour le royaume de la Fantaisie !

Plus j'approchais et plus je sentais une terrible odeur monter de cet endroit terrifiant : c'était une odeur forte et ÂCRE, qui me paralysait comme la peur... c'était l'odeur des cauchemars !

DÉCOUVRE L'ODEUR
DES CAUCHEMARS !

DANS LA CAVERNE DE L'OBSCURITÉ-PROFONDE...

L'entrée de la **CAVERNE** ressemblait à une énorme bouche prête à vous avaler !

Pendant un instant, j'éprouvai une peur panique, mais, en me retournant, je vis tous les *amis* qui me suivaient et je retrouvai aussitôt mon courage. Je me précipitai vers l'entrée en criant :

– Suivez-moi, si la liberté vous est chère ! Allons délivrer mon ami Grustave !

L'endroit était vraiment sinistre. Seul un esprit malade pouvait l'avoir imaginé ! Comme le cœur du Mage devait être **SOMBRE** !

La caverne de l'Obscurité-Profonde était un immense palais, formé d'un large couloir central d'où partaient une multitude de couloirs latéraux qui rappelaient les **ARÊTES** d'un poisson.

Au bout de chaque couloir se trouvait une prison, où étaient enfermés de nombreux poissons.

Il y avait des prisons pour les **GROS** poissons, pour les poissons **MOYENS**, pour les **PETITS** poissons. Quant aux **TOUT PETITS** poissons, ils étaient enfermés dans des filets spéciaux dont les mailles étaient très serrées. Les plus grandes créatures marines, telles les baleines, étaient arrimées au fond de la **mer** par de gigantesques chaînes qui leur entouraient la queue. Les crustacés, eux, étaient emprisonnés dans des filets d'algues **TRESSÉES**, tandis qu'au fond de la caverne étaient aménagés des viviers pour élever les poissons en esclavage dès leur naissance, afin qu'ils grandissent sans jamais connaître la liberté.

Je courus de pièce en pièce, de salle en salle, cherchant **ANXIEUSEMENT** la cuisine où avait été conduit Grustave.

Et chaque fois que je rencontrais des poissons emprisonnés, j'ouvrais les portes de leur cellule. Et s'ils étaient enchaînés, je brisais leurs chaînes d'un coup d'épée, en criant :

– Libres, vous êtes libres !

Tous les habitants de la mer que je libérai se joignirent à nous, en chantant la **CHANSON DE**

L'AMITIÉ. Nous les avions aidés et à leur tour ils allaient nous aider. Tous **ensemble**, nous étions de plus en plus forts ! Nous continuâmes à explorer la caverne de l'Obscurité-Profonde, jusqu'à arriver à la grande **cuisine** du palais.

Une marmite pleine d'eau BOUILLANTE était déjà sur le feu et au-dessus, ligoté, était suspendu mon

Vous êtes libres !

ami Grustave : il allait être transformé en… soupe de bernard-l'ermite !

D'un bond, je me précipitai pour le **sauver**, le libérant du filet dans lequel il était prisonnier, pendant qu'il sanglotait, tout ému :

– *Chose*, je savais que tu m'aurais *chosé*, c'est-à-dire que tu m'aurais **SAUVÉ**.

Au même instant, j'entendis un éclat de rire fracassant qui me hérissa le pelage. Une voix caverneuse siffla :

– Moi aussi, je savais que tu viendrais sauver ton ami !

Je me retournai et vis que sur le seuil de la cuisine se dressait, ɱɛɳaçaɳt, le cruel Mage de la Perle noire, qui ricana en se frottant les mains :

– **BIEN BIEN BIEN**, ce soir, pour mon repas, après la soupe de bernard-l'ermite, j'aurai une omelette à la souris. Et de vous tous qui avez osé vous révolter, je ferai de la friture !

Mais, à l'attention des poissons et des créatures marines qui se trouvaient derrière moi, je criai :

– **JE VOUS LE DEMANDE** : *combattez avec moi, au nom de la liberté !*

Ils se pressèrent tous autour de moi en clamant :

– Nous sommes avec toi, Chevalier des Sept Mers !

Le Mage éclata d'un rire fracassant, puis, claquant des doigts, lança d'une voix puissante :

– JE L'ORDONNE : *caverne de l'Obscurité-Profonde, évanouis-toi dans l'onde !*

Aussitôt, l'immense palais en forme de squelette de poisson où nous nous trouvions DISPARUT, comme par enchantement. Alors, je compris qu'il n'avait été qu'une illusion de ce très puissant Mage…

JE L'ORDONNE !

Le Mage claqua de nouveau des doigts, et aussitôt le monstrueux calmar géant apparut et le fit monter sur la coquille qui lui servait de trône.

Le Mage s'exclama :

– JE L'ORDONNE : *calmar géant, combats-les pour moi ! Ou, plutôt, détruis-les pour moi !*

Le calmar s'approcha de moi, mais, d'un **BOND**, je sautai sur le dos d'une baleine blanche. Il était temps !

Le calmar lui donna un coup de tentacule, mais la baleine répondit par un terrible coup de nageoire. Ce fut le début d'un terrible **DUEL** : les deux énormes créatures marines se rendaient coup pour coup, provoquant des vagues gigantesques.

Quoi?!

Aaah!

Tous les habitants de la mer assistaient, muets et épouvantés, à cette lutte titanesque. Le combat était de plus en plus **VIOLENT**, mais la force des deux géants s'équilibrait. C'est alors que, pour l'emporter sur moi, le Mage décida de combattre de manière **DÉLOYALE** et se lança dans une nouvelle illusion.

Il claqua des doigts.

– **JE L'ORDONNE** : *que la grande et grosse baleine, une petite étoile rouge devienne !*

En un éclair, la grande baleine blanche se transforma en une minuscule **étoile de mer** rouge. Je me retrouvai assis sur… rien, et je dégringolai ! Je serais tombé jusqu'au fond de l'abîme si une raie à la longue queue ne s'était pas précipitée à mon secours !

J'atterris sur son dos souple et moelleux et criai :
– À L'ATTAQUE !

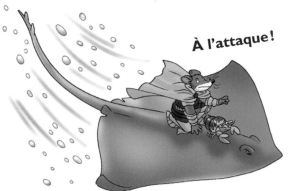

À l'attaque !

La raie donna au calmar un coup très violent de sa
LONGUE QUEUE.

Le calmar gémit de douleur et agita sauvagement ses tentacules en l'air...

... et c'est ainsi que le Mage de la Perle noire tomba. Il tomba du haut de sa coquille, poussant un hurlement **TERRIBLE** : il était désespéré, car c'est au moment où il croyait pouvoir vaincre qu'il perdait tout.

Il tomba, mais lui, personne ne se précipita pour le secourir... parce qu'il n'avait pas d'amis !

Un instant avant qu'il ne DISPARAISSE, Grustave et moi fîmes un bond en avant. Mes doigts frôlèrent la chaîne d'or des sept talismans. Je l'**ATTRAPAI** et tirai si fort que je parvins à l'arracher au Mage. Celui-ci tomba dans les abîmes, aspiré par les courants qui l'entraînaient de plus en plus profond, en criant :

-SOURIS, NOUS NOUS REVERRONS !

Nous nous reverrooons !

CHOSE, LA *CHOSE*, C'EST MOI QUI L'AI… DANS MA *CHOSE* !

Dès que le Mage eut disparu, le calmar géant poussa un cri terrible et secoua ses tentacules en FRISSONNANT. Il ferma les yeux, les rouvrit… puis me FIXA avec une immense gratitude.

– Merci, Chevalier des Sept Mers, vous avez dissipé

Tu es libre !

l'enchantement qui me liait au Mage ! Il s'était servi de ses mauvais pouvoirs pour me réduire en esclavage, en m'HYPNOTISANT et en m'imposant sa volonté. Mais à présent je suis libre, grâce à vous tous !

Je lui souris, car j'étais HEUREUX que tout finisse bien. Mais j'avais également le cœur plein de tristesse, car je n'avais pas rempli ma mission ! Le septième talisman, la Perle dorée, transformée en Perle noire par le perfide Mage, venait de disparaître avec lui dans les abîmes sans fond.

Je laissai échapper un soupir et murmurai tristement :

– **Ah, la Perle est perdue à jamais.**

C'est alors que Grustave rentra dans la Grustaville en marmonnant :

– Ah, *Chose*, tu cherches la *chose* ? *Chose*, la *chose*, c'est moi qui l'ai… dans ma *chose* !

Puis il sortit la Perle noire de sa coquille.

– *Chose*, j'ai réussi à la prendre au Mage une seconde avant qu'il ne TOMBE. Je suis fort, non ?

Je SOURIS, ému.

– Oui, tu es très fort, Grustave. Et j'ai de la chance d'avoir un ami tel que toi.

Au même moment, la Perle noire lança un éclair éblouissant et, en un instant, redevint la Perle dorée !

Très ému, je l'accrochai à la chaîne d'or des sept talismans.

Puis, les PATTES tremblant d'émotion, je mis de nouveau la chaîne à mon cou. Je comptai les talismans : un, le *Cœurdecorail*, deux, *les Mains qui se serrent*, trois, *le Médaillon du Soleil et de la Lune*, quatre, *l'Étoile de diamant*, cinq, *la Plume de cristal*, six, *la Licorne d'argent*, sept, *la Perle dorée*…

Oui, ils y étaient tous.
Tous les sept.
Maintenant, la chaîne
était complète !

À cet instant, un autre ÉCLAIR nous enveloppa

tous et, en regardant autour de moi, je m'aperçus que nous n'étions plus dans les ABÎMES marins, mais à Châteaucristal, dans le palais de Floridiana, qui m'accueillit avec ces douces paroles :

— Bienvenue,
Chevalier des Sept Mers !
Je savais que tu t'acquitterais
de ta mission…

Le royaume de
la Fantaisie est sauvé!

FLORIDIANA
DEL FLOR

Je *balbutiai* :

– Mais je… mais vous… mais comment…

Je n'en revenais pas de me retrouver si soudainement dans un tel endroit !

Je ne voyais plus de moules et de poulpes, de soles et de rougets, de coraux et de récifs, et, surtout, je n'étais plus sous l'*eau*.

Je respirais à nouveau de l'air, car je me trouvais dans le merveilleux palais de Floridiana del Flor, perché au sommet d'une très haute montagne entourée de *NUAGES* blancs.

Et autour de moi je voyais toutes les Fées de la cour et les représentants de tous les peuples du royaume de la Fantaisie, qui m'acclamaient :

– Hourra ! La chaîne des sept talismans est de nouveau parmi nous !

Je remis le collier à Floridiana, m'inclinant jusqu'à effleurer le sol de mes moustaches.

Elle le mit à son cou, et il parut *étinceler* encore davantage. Puis elle annonça à tous :

– Oyez, oyez, oyez ! Moi, reine du royaume de la Fantaisie, je rends hommage à ce héros **COURA-GEUX**, qui n'a pas craint d'affronter un danger terrible et de mettre sa propre vie en jeu. Il a combattu le méchant Mage de la Perle noire, et a sauvé tout le *royaume de la Fantaisie* ! Dorénavant, c'est moi qui conserverai la chaîne, afin que son immense pouvoir serve à l'harmonie et non à la destruction.

Après le discours de Floridiana, je revis bien des amis que j'avais *connus* lors de mes précédents voyages au royaume de la Fantaisie.

Il y avait Scribouillardus Scribouillatus, le crapaud lettré, mon premier compagnon de voyage, avec qui j'avais combattu la MÉCHANTE Sorcière Sorcia. Il était sympathique, mais très bavard !

– Je viens d'écrire une poésie sur **NOTRE** reine. Puis-je vous la lire ?

Heureusement, il fut interrompu par un autre vieil

Je suis à votre service !

ami, le caméléon Pustule, qui apparut brusquement car il est très habile pour se **CAMOUFLER**. Je me souvins qu'il raffolait des friandises : lors de mon deuxième voyage au royaume de la Fantaisie, il m'avait aidé… en échange d'un bonbon !

De fait, me tirant par la veste, il me demanda :

– Chevalier, n'auriez-vous pas par hasard un autre bonbon ?

Puis il se mit à fouiller dans ma poche, pendant

que j'essayais de lui expliquer que je n'avais pas de
FRIANDISES sur moi.

Mais déjà quelqu'un d'autre me tirait par la queue :
c'était l'oie Blabla, vaniteuse et cancanière, qui,
regardant autour d'elle d'un air méfiant, murmura :

– Chevalier, laissez-moi vous raconter les derniers
POTINS du royaume de la Fantaisie !

Quelqu'un toussa dans mon dos et me PINÇA.
Je me retournai brusquement et vis Grustave devant
moi.

Il déclara d'un ton **POMPEUX** :

– Que tout le monde veuille bien me pardonner, mais je dois *chosire* une *chose* à mon *chosi*, je veux dire à mon **ami**.

Puis il me chuchota à l'oreille, d'un air mystérieux :

– Écoute, *Chose*, je dois te *choser* une *chose* importante : veux-tu être mon *chosoin* à mon *chosage* avec ma *chosée* ?

– Quoiii ? demandai-je.

Comme toujours, je n'avais compris CROÛTE à ce qu'il me disait. Il sortit la bague de fiançailles que j'avais vue dans la Grustaville et reprit :

– Je disais : je vais me *chosier*, avec ma *chosée*, et j'aurais besoin d'un *chosoin*, et j'ai pensé à toi, c'est un grand honneur, tu sais ?

Je répétai :

– Excuse-moi, Grustave, mais je ne comprends pas !

Il soupira, **IRRITÉ** :

– J'ai pourtant été clair, me semble-t-il…

Je sentis que quelqu'un d'autre me PINÇAIT et je me retournai : devant moi se tenait une gracieuse petite bernarde-l'ermite, avec une coquille rose et un VOILE de mariée sur la tête.

Alors je compris tout de suite, car je reconnus la demoiselle que j'avais remarquée sur une photo dans la Grustaville.

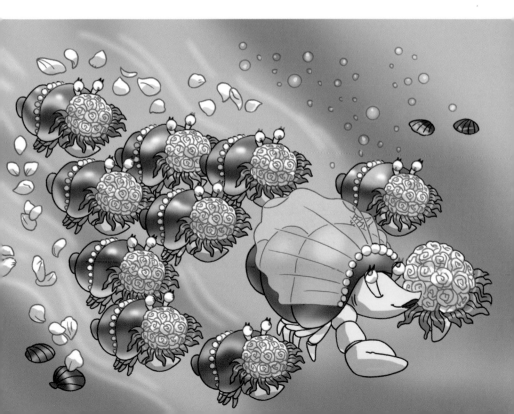

C'était Grustavette, la bien-aimée de Grustave !
Elle me sourit.

– Grustave vient de me demander de l'*épouser* et j'ai accepté. Voulez-vous être notre témoin pour le mariage ?

Je m'exclamai :

– Mais bien sûr, j'en serais très heureux !

Grustave soupira :

– Voilà, tu as **fini** par comprendre, *Chose* !

Le bernard-l'ermite se glissa dans sa Grustaville et

en ressortit avec un très ÉLÉGANT haut-de-forme noir.

Puis Floridiana nous précéda dans un immense salon où se PRESSAIENT tous les représentants du royaume de la Fantaisie. On comptait le roi des Gnomes et son épouse, le souverain des Géants, Alys, la princesse des Dragons d'argent, et le sage Azur, l'Aïeul aux yeux de saphir. Dans la foule, j'APERÇUS des Dragons, des Elfes, des Lutins, mais également quelques Trolls et des petits Ogres : tous avaient été invités ce jour-là, et tous étaient en paix, unis par cette magnifique cérémonie qui célébrait le sentiment le plus important du monde : l'AMOUR. ♥ ♥ ♥ ♥

Grustave s'agenouilla devant sa bien-aimée.

– *Chosette*, veux-tu me *choser* ? Je t'aime plus que toute autre *chose* au monde !

Elle lui sourit doucement et répondit un seul mot :

– Oui.

Grustave prit entre ses pinces une bague encore plus belle que celle que j'avais déjà vue et la tendit à Grustavette.

Quelle émotion !

La petite bernarde-l'ermite, tout émue, s'en saisit et la mit à l'une de ses pinces, pendant que tout le monde observait la scène avec ÉMOTION. Floridiana prit la main de son mari, Suavius, le roi du royaume des Rêves, et annonça :

– Au nom de la loi du royaume de la Fantaisie, nous vous déclarons mari et femme !

Alors l'assemblée s'écria :

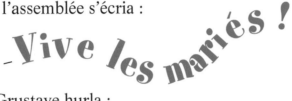

– Vive les mariés !

Puis Grustave hurla :
– Et maintenant… au buffet, les *chosis*, il y a des *choses* délicieuses à manger !
Comme il s'agissait un MARIAGE de bernard-l'ermite, un buffet très riche avait été dressé, mais tout était à base d'algues !
Dans le salon, on avait installé une merveilleuse piscine pour tous les invités aquatiques, qui

sinon n'auraient pas pu assister au mariage. Je reconnus le petit poisson Zipo : je m'approchai pour le saluer, mais, dans mon élan, je *DÉRAPAI* sur le bord de la piscine et plongeai, les quatre pattes en l'air dans l'eau…

Scouit… je gliiiiisse !

Mes amis, adi

LA PLAGE DES COQUILLAGES-ROSES

C'est alors que quelqu'un me **SECOUA** doucement par le bras et que j'entendis une gentille petite voix :
– **Tu es réveillé ?**
Ces mots résonnèrent dans mes oreilles : **... réveil-léééé ?... réveilléééé ?... réveilléééé ?**
Encore confus, je balbutiai :
– Quoiii ? Euh, oui, bien sûr, je suis réveillé, mais où suis-je ?
J'ouvris grand les **YEUX** et vis un museau familier qui se penchait sur moi.
C'était mon neveu Benjamin !
Qu'est-ce que Benjamin pouvait bien faire au *royaume de la Fantaisie* ?
Ou plutôt... si Benjamin était là...
... alors c'est que je n'étais plus au royaume de la Fantaisie !

Je répétai :
– Mais où suis-je ?
Benjamin répondit gentiment :
– Tonton, tu es à la **PLAGE** des Coquillages-Roses !
Tu ne te souviens pas ?
Je SAUTAI sur mes pieds et, autour de moi, je recon-
nus la plage de Sourisia, là où tout avait commencé.
Oui, cette aventure FANTASOURISTIQUE

avait commencé là, sur la merveilleuse plage des Coquillages-Roses…

L'*orangeade* dans mon verre était chaude désormais, et les glaçons avaient fondu. Le sable sous mes pattes ne brûlait plus, et les ombres s'étaient **étirées**, car le soleil était en train de se coucher…

Ce qui m'avait paru un très long voyage n'avait en réalité duré qu'un seul *APRÈS-MIDI* !

Près de moi, je ne vis plus mon ami bernard-l'ermite !

Je m'écriai, inquiet :

– Mais où est Grustave ?

Benjamin demanda, étonné :

– Grustave ? Qui est Grustave ?

Je regardais partout alentour, triste, et je compris.

En fait, je n'avais fait que *RÊVER*, même si ce rêve avait été si intense qu'il m'avait paru réel.

J'avais bien été au royaume de la Fantaisie, mais, comme toutes les autres fois : en rêvant ! En retournant dans le monde réel, j'avais perdu le contact avec tous les *amis* que j'avais rencontrés dans le royaume…

J'aurais dû être content : j'avais dormi, j'avais rêvé et j'allais maintenant pouvoir écrire, car j'avais une ⓗⓘⓢⓣⓞⓘⓡⓔ fantastique à raconter à mes lecteurs...

Pourtant, je restai longtemps à fixer l'horizon du regard, avec un sentiment de **tristesse**.

Grustave allait me manquer !

C'est alors que je le vis.

Je vis un coquillage à la forme familière, posé sur un rocher. Le coquillage se déplaçait... oui, il se déplaçait, lentement, mais il se déplaçait ! Peut-être était-ce... mon ami ?

Je courus jusqu'à lui en criant :

– GRUSTAVE ! GRUSTAVE, MON AMI, C'EST TOI ?

Mais lorsque j'atteignis le rocher, le coquillage était déjà en train de glisser doucement dans la mer...

Pendant un instant, rien qu'un instant, et même si je savais que c'était **IMPOSSIBLE**, je me dis que dans cette coquille il y avait vraiment mon ami Grustave et qu'il était venu me saluer une dernière fois avant de disparaître pour toujours dans les vagues.

Le soleil **DÉCLINAIT** de plus en plus et dorait

l'horizon, peignant sur les vagues des reflets cuivrés. Une fraîche brise montait de la mer, faisant frétiller mes moustaches. Je fixai la surface bleue de l'océan, agitai la PATTE et murmurai :

– Adieu, Grustave, mon ami, nos routes se séparent à présent. Mais si je retourne un jour au royaume de la Fantaisie, j'espère t'y RETROUVER... parce que, nous le savons tous deux : un véritable ami, c'est pour la vie !

JE VOUS AIME, ET JE VOUS AIMERAI TOUJOURS !

Je raccompagnai Benjamin chez lui, puis je me pré-cipitai au bureau. Malgré l'heure **TARDIVE**, mes collaborateurs étaient encore tous là, à la rédaction, et m'attendaient nerveusement. J'entrai en courant et annonçai tout heureux :

– J'AI ENFIN RÊVÉ ! ET JE SAIS QUOI ÉCRIRE !

Les visages s'illuminèrent et tout le monde cria :
– Vive Geronimo ! Vive le royaume de la Fantaisie !
Ils me portèrent en triomphe jusque chez moi, en m'encourageant :
– Et maintenant, écris, Geronimo ! Écris !
Puis mon grand-père m'enferma dans ma chambre et jeta la clef dans les buissons devant la maison.
– Si je fais ça, c'est pour ton bien, gamin : tu ne sortiras d'ici que lorsque tu auras fini d'**ÉCRIRE** !
Mais je ne l'écoutais pas, car je m'étais rué sur mon ordinateur et je pensais déjà à la première phrase de mon nouveau livre :

À SOURISIA, LA CAPITALE DE L'ÎLE DES SOURIS, L'ÉTÉ EST DOUX, ET MÊME TRÈS DOUX!

Après quoi je ne m'arrêtai pas d'écrire, heure après heure, ne m'interrompant que pour grignoter un chocolat au gruyère. J'écrivis jusqu'à ce que je m'endorme, le museau sur le clavier de mon ordinateur.

Roooonf !

Je continuai d'écrire pendant des **jours** et des **jours** et des **jours**… Et c'est seulement quand je fus certain d'avoir **RACONTÉ** chaque instant, chaque épisode, chaque émotion de cette incroyable aventure et que je n'avais plus rien, vraiment plus rien, à ajouter que j'éteignis mon ordinateur.

Alors seulement je quittai ma maison, pour aller déposer mon livre à *l'Écho du rongeur* : *le septième voyage au royaume de la Fantaisie.*

Le livre fut publié, et c'est d'ailleurs celui que vous êtes en train de lire : il vous plaît ? Je l'espère !

Je l'ai écrit avec **amour** et c'est à vous que je le dédie, oui, à vous tous qui, depuis si longtemps, suivez mes aventures avec affection… Vous, mes lecteurs bien-aimés, qui restez toujours au plus profond de mon cœur durant ces aventures fantastiques.

Et je sais que vous me croirez si je vous dis que moi, au royaume de la Fantaisie, j'y suis vraiment allé.

Je sais que vous m'aimez, et moi aussi je vous aime, et je vous aimerai toujours !

Merci !
Votre ami rongeur,

Geronimo Stilton

Je vous aime !

ALPHABET FANTAISIQUE

VA OÙ TE PORTE LA VAGUE

ou

VIE D'UN BERNARD-L'ERMITE

Journal secret
DE GRUSTAVE DE GRUSTAVIN
Mythique Messager Marin

QUI TROUVE UN BERNARD-L'ERMITE TROUVE UN TRÉSOR !

NOTE DU TRADUCTEUR

Chers amis rongeurs,

Grustave m'a fait lire son journal et m'a permis de le reproduire et de l'imprimer, car il veut que vous aussi le connaissiez et deveniez ses amis. Je l'ai traduit pour vous du *chosilique*, la langue des bernard-l'ermite. Mais… *choser* du *chosilique* est *chosement inchossible* (c'est-à-dire : traduire du chosilique est pratiquement impossible) !

J'ai fait de mon mieux…

Votre affectionné,

Geronimo Stilton

Halte!
PSCH!!
VA-T'EN!
BAS LES PATTES!

CECI EST MON JOURNAL SECRET !!!

IL EST ABSOLUMENT INTERDIT DE LE LIRE

ATTENTION !!!

Si vous poursuivez la lecture sans ma permission,
je vous trancherai personnellement les pattes
avec mes pinces !

Grustave de Grustavin

NOTE DE GERONIMO STILTON :
Ne vous inquiétez pas, feuilletez tranquillement
le journal de Grustave : à vous, il a donné
la permission !

Chères amies, chers amis, je me présente...

Chères amies, chers amis, mais aussi vous, amis d'amis, connaissances, voisins de coquille, admirateurs… je me présente : je suis Grustave de Grustavin et je suis MMM, c'est-à-dire Mythique Messager Marin de Sa Majesté Floridiana, reine des Fées !
Voici ma carte d'identité :

ROYAUME DE LA FANTAISIE

DISTRICT DES SEPT MERS

CARTE D'IDENTITÉ

GRUSTAVE DE GRUSTAVIN DES CRUSTACHEUX

MMM, MYTHIQUE MESSAGER MARIN

PRÉNOM : Grustave

NOM : de Grustavin, de la dynastie des Crustacheux

NATIONALITÉ : royaume de la Fantaisie

RÉSIDENCE : voyage continuellement !

PROFESSION : secrète !

TAILLE : deux moules et demie

COULEUR DE LA COQUILLE : d'habitude violette avec des rayures claires, mais ça dépend de son humeur !

COULEUR DES YEUX : bleu marine

SIGNES PARTICULIERS : bavard !

POUR COMPLÉTER LES INFORMATIONS...

⚽ **Mon sport préféré :** la plongée sous-marine

💬 **Ma phrase préférée :** Mieux vaut être seul que mal… acoquillé !

📕 **Mon livre préféré :** *La Petite Pince*

🐟 **Ma plus grande peur :** finir dans de la soupe de poisson

🖤 **Mon plus grand ami :** Geronimo Stilton

La journée type d'un bernard-l'ermite !

🕐 7 HEURES

Le choseil, c'est-à-dire le réveil, sonne (euh… si je n'ai pas oublié de le remonter la veille au soir) et ma journée de MMM commence : plus dure que le corail, plus rude qu'un récif, plus dangereuse qu'une tempête !

🕐 7 H 05

Je commence par me préparer avec soin : je me brosse les dents, j'astique mes pinces, je m'asperge d'un peu d'Eau de mollusque, mon parfum préféré ! Un MMM représente la reine Floridiana et doit donc toujours être soigné de sa personne !

🕐 7 H 20

C'est enfin l'heure d'un bon petit déjeuner énergétique à base de jus d'anémone de mer et d'algues confites ! Les algues contiennent plein de substances utiles pour la mémoire et les MMM ont besoin d'une excellente mémoire pour répéter exactement les messages qu'on leur confie !

🕐 7 H 45

Je contrôle les messages de Floridiana qui arrivent par fax et que je dois délivrer aux divers habitants du royaume de la Fantaisie !

🕐 8 H 30 À 17 H 30

Pendant toute la journée, je sillonne les Sept Mers pour remettre des messages très importants…

Il m'arrive de rencontrer des personnes irritantes…

… d'autres un peu fermées…

… et d'autres vraiment dangereuses !

DÉJEUNER ET DÎNER

Je ne renonce jamais à un déjeuner et à un dîner nourrissant à base de pâtés d'anémones de mer, de rouleaux d'algues et de milk-shake au sel de mer ! Miam !

RESTAURANT
LA PINCE

RODONF!
RODONF!

🕐 22 HEURES

Enfin, il est l'heure de dormir ! Je me glisse sous les couvertures et, après avoir lu la bande dessinée de mon superhéros préféré, Mister Bigornix, je m'endors !

Mon secret le plus secret...

Mon secret le plus secret, c'est que... j'en pince pour la plus belle petite bernarde-l'ermite des Sept Mers ! Elle, l'unique, l'irremplaçable, l'inimitable bernarde-l'ermite de mes rêves : Grustavette ! Voici sa photo : n'est-elle pas ravissante ?

Elle m'aime, un peu, beaucoup...

♥ Oh, j'aimerais tant demander sa main, c'est-à-dire sa pince ! J'aimerais tant bâtir une nouvelle Grustaville pour elle ! Mais j'ai peur de ne pas lui plaire...

Un coup de foudre... ou presque

Je connais Grustavette depuis que je suis tout petit ! Je me souviens parfaitement de notre première rencontre : ce fut… euh… le classique coup de foudre !

✉ Voici ma première lettre d'amour pour Grustavette. Je venais juste d'apprendre à écrire ! Depuis, je lui en ai écrit une par jour, mais je ne les ai jamais envoyées. Je les garde toutes dans un coffre fermé à clef !

POUR GRUSTAVETTE AFFECTUEUSEMENT

Ma grande famille adorée

Par mille coquillages, ma famille est vraiment très **SPÉCIALE** et a d'anciennes et nobles origines !

Mais c'est surtout une famille très nombreuse, très JOYEUSE et très unie !

Dès qu'il y a un anniversaire, nous nous retrouvons tous pour faire la FÊTE. Ça fait une petite foule pleine de gaieté ! Nous sommes tellement nombreux qu'il y a au moins une fête d'anniversaire par semaine ! Le problème, c'est de se souvenir des noms de tous les parents… J'avoue que, de temps en temps, je m'y PERDS. Au dernier anniversaire, par exemple, ma grand-tante Bigornette s'est vexée parce que je ne me souvenais plus du prénom de son 45e fils Urogastre (quel nom HORRIBLE, je comprends que je l'aie oublié !!!).

FAMILLE DES CRUSTACHEUX

💬 **DEVISE DE LA FAMILLE DES CRUSTACHEUX**
Bernard-l'ermite, c'est plus qu'un mythe !

Arbre généalogique
DE GRUSTAVE DE GRUSTAVIN DE LA DYNASTIE DES CRUSTACHEUX

GRUSTACÉ DE GRUSTAVIN I

GRUSTAFF GRUNG
Célèbre explorateur, il découvrit le continent de Bernardie.

GRUSTAFILLE DE GRUSTAVIN
Romantique et rêveuse, elle fut la première bernarde-l'hermite à écrire des romans.

GRUSTAVETTE SCROC
Elle fut la première bernarde-l'ermite médecin, spécialiste des pinces démantibulées.

GRUSTALOU GRUNG
Inventeur, il construisit la première Grustaville multiaccessoirisée.

CRUSTACHO GRUNG
Champion sportif, spécialisé dans le lancer de la coquille.

CLOVISSE DE PALOURDE
Elle remporta la médaille d'or en natation synchronisée aux premiers jeux Bernardiques.

GRUSTAVIE GRUNG

GRUSTAFETTE II

GRUSTOLÉON DE GRUSTAVIN
Célèbre général, il conduisit les bernard-l'hermite à la victoire dans la grande bataille des Récifs récifiques.

GRUSTINETTE
Elle fut la première noblebernarde-l'ermite à devenir MMM.

GRUSTAFETTE BERNARDINE ERMINE
Bernarde-l'ermite de grande classe, elle a dicté sa loi dans le monde de la mode.

GRUSTON DE GRUSTAVIN
Grand-père de Grustave, il lui a enseigné l'art de Mythique Messager Marin.

GRUZDAVE DE GRUSTAVIN   GRUZDINE TENDRETTE COQUILLETTE
Hélas, triste est l'histoire de Gruzdave et Gruzdine, les parents de Grustave… Ils ont été dévorés par un cruel requin ! Ils étaient tous les deux des Mythiques Messagers Marins au service de Floridiana !

GRUSTAVE DE GRUSTAVIN

Grustaville, douce Grustaville

Je vais vous révéler les secrets de ma Grustaville, c'est-à-dire de ma maison mobile ! Personne ne l'a jamais vue, à l'exception du Chevalier des Sept Mers, c'est-à-dire Geronimo Stilton ! Il y a d'innombrables pièces dans la Grustaville… qu'il faut toutes découvrir !

ANCIEN PROVERBE BERNARDIQUE

On ne connaît pas chosement un chose tant qu'on n'a pas chosé sa chosille !

Traduction : On ne connaît pas vraiment un bernard-l'ermite tant qu'on n'a pas visité sa coquille !

Ma chambre à choser
MA CHAMBRE À COUCHER

Voici la chambrette où je me réfugie pour lire, pour écouter les chansons de Poulpe Chantefaux, mon chanteur préféré, ou… pour faire une petite sieste !

MISTER BIGORNIX, MON SUPERHÉROS PRÉFÉRÉ

MON LIT

PHOTO DE GRUSTAVETTE

BAGUE POUR GRUSTAVETTE

DISQUES DE POULPE CHANTEFAUX

La chose de bal
LA SALLE DE BAL

Ne vous ai-je pas dit que j'adorais danser ? Sans vouloir me vanter,
je suis un maître de la valse des bigorneaux, de la mazurka
des palourdes, du tango marin, du hip-hop de l'hippocampe
hoquetant, et de plein d'autres danses !

MA PARTENAIRE POUR LE TANGO MARIN !

DEVISE DE L'ÉCOLE DE DANSE DE GRUSTAVE
*Danse avec un bernard-l'ermite
et la fête est une réussite !*

La salle de chosains
La salle de bains

Quel plaisir de prendre un bain bien chaud à la fin de la journée !
J'adore plonger dans l'eau (parfumée avec des sels aux algues
bleues) et me frictionner les pinces !

COLLECTION
DE SELS DE MER

BAIN MOUSSANT
AUX ALGUES
EFFERVESCENTES

LUSTRE-PINCE

Le chosase
LE GYMNASE

Vive la gym ! Un Mythique Messager Marin doit toujours garder
la forme ! En mer, il y a une foule de dangers (des requins affamés,
des murènes électrisantes, des orques voraces…)
et un bon entraînement peut permettre de sauver la Grustaville
dans toutes les circonstances ! Je m'entraîne donc tous les jours
dans mon gymnase personnel…

POIDS-COQUILLAGES

CHAMPION
PINCECOSTAUD

Bouger fait du bien aux pinces et au cerveau !

Chosoire secret
LABORATOIRE SECRET

Ma pièce préférée est le laboratoire secret :
elle contient tous les déguisements
et tous les instruments d'un MMM !

POULPE-MONTGOLFIÈRE

FAUX AILERON DE REQUIN

DÉGUISEMENTS

LONGUE-VUE

GRUSTAVOPHONE

FAX BIVALVE

La machine à déguisements

MOI DÉGUISÉ EN CACTUS!

MOI DÉGUISÉ EN CORAIL!

MOI DÉGUISÉ EN COMMODE!

MOI DÉGUISÉ EN LAMPE!

La chosothèque
LA BIBLIOTHÈQUE

Dans ma chosothèque (ma bibliothèque), je range mes livres préférés
et tous les dictionnaires indispensables pour mon travail de messager :
il m'arrive souvent, en effet, de devoir traduire des messages du thonique
au baleinien, ou du gnomique au dragonnique… Un travail de titan !

La chosine
ᏊᏋ LA CUISINE ᏊᏋ

Après une mission périlleuse, j'aime me détendre en cuisinant de délicieux petits repas, pour la joie de mes bernardilles, c'est-à-dire… de mes papilles !

CHOU MARIN KIPU

ALGUES À L'HUILE

ALGUES CONFITES

♥ Mon gâteau préféré, c'est la tarte aux algues confites, avec de la crème de plancton et des coquilles de moule au chocolat !

Coquillages farcis

INGRÉDIENTS

- 30 conchiglioni
- 300 g d'épinards
- 160 g de ricotta
- 190 g de mozzarella
- 2 cuillerées à café de pignons de pin
- 10 cuillerées à soupe de parmesan râpé
- 16 cuillerées à soupe de lait
- huile d'olive vierge extra
- sel, poivre et noix de muscade

1 Nettoie bien les épinards et demande à un adulte de les ébouillanter quelques minutes dans une casserole avec très peu d'eau. Puis retire-les de la casserole.

Verse un filet d'huile dans une poêle et fais cuire pendant 2 minutes les épinards avec les pignons. **2**

3 Laisse refroidir le tout, puis mets-le dans une terrine et ajoute la ricotta, 130 g de mozzarella coupée en petits dés (attention : gardes-en un peu pour la sauce), un peu de noix de muscade râpé et 4 cuillerées à soupe de parmesan. Mélange bien et délaie avec 12 cuillerées à soupe de lait.

4 Fais cuire les conchiglioni dans une casserole d'eau et laisse-les refroidir, avant de les farcir avec le mélange que tu as préparé.

5 Découpe en petits dés ce qu'il reste de mozzarella et, dans une poêle, fais-les cuire à feu doux avec le restant de lait et 4 cuillerées à soupe de parmesan.

6 Répartis la mozzarella fondue sur les conchiglioni, recouvre avec la sauce au fromage ; saupoudre le reste de parmesan dessus. Préchauffe le four à 200 °C et fais gratiner le plat pendant 25 minutes.

Couteau géant à la crème

Fais-toi toujours aider par un adulte !

INGRÉDIENTS

- 4 œufs
- 125 g de farine
- 125 g de sucre
- 1 cuillerée à café de levure en poudre
- ½ l de crème pâtissière
- sucre glace

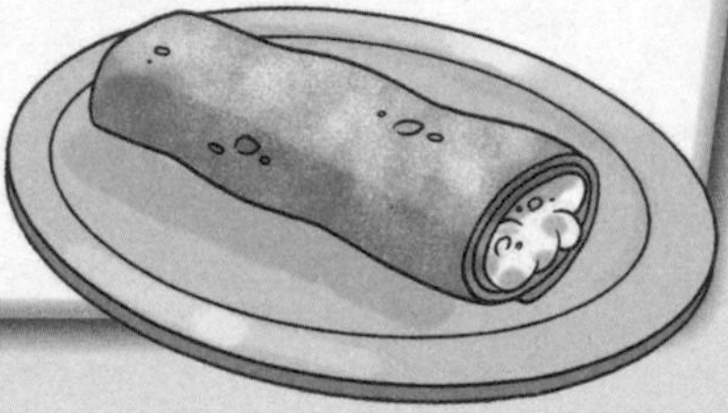

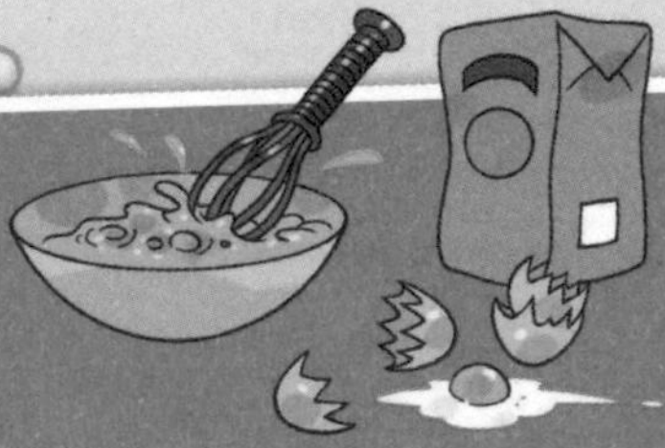

1 Bats les jaunes d'œuf avec le sucre et la levure en poudre jusqu'à ce que tu obtiennes une pâte crémeuse.

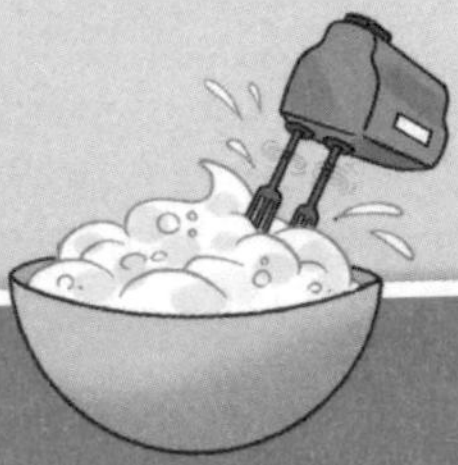

2 Monte les blancs en neige et ajoute-les à la pâte avec la farine tamisée.

3

Étale la pâte sur une plaque de cuisson recouverte au préalable d'une feuille de papier sulfurisé. Mets à cuire au four environ 10 minutes : la surface doit être légèrement dorée.

4

Sors la plaque du four, renverse-la sur un plat, retire le papier sulfurisé et, après avoir légèrement humecté le biscuit avec un peu de lait, étale une couche de crème pâtissière.

Enroule le biscuit en faisant attention à ne pas briser la pâte. Saupoudre de sucre glace et déguste !

5

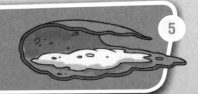

À l'école des MMM !

Dans un coffre, j'ai trouvé des souvenirs de l'époque où je fréquentais l'Institut supérieur superspécialisé pour les Mythiques Messagers Marins !

MATIÈRES ET APPRÉCIATIONS

LANGAGES ET CODES SECRETS : l'élève fait preuve d'une aptitude particulière dans cette matière, mais utilise son talent pour souffler les réponses à ses camarades pendant les devoirs sur table !

GÉOGRAPHIE DES SEPT MERS : excellent

DÉFENSE CONTRE LES MÉCHANTS : l'élève a un talent très inventif dans l'art de la fuite rapide !

SURVIE : suffisant

BONNES MANIÈRES : gravement insuffisant. L'élève parle trop, à tort et à travers !

MA... EUH... COLLECTION DE MOTS SUR LE CARNET

⭐ L'élève Grustave pince ses camarades !

⭐ Du fond de la classe, l'élève Grustave lance des boulettes d'algues sur le professeur !

⭐ L'élève Grustave n'a pas fait ses devoirs. Réprimandé par l'enseignant, il s'excuse en disant que son cahier a été dévoré par un féroce requin !

DÉBROUILLARDISE
SISTÈME DEY

GRAMMAIRE CHOSILIQUE
CHOSETTE CHOSIQUE

BONNES MANIÈRES ET
ÉTIQUETTE FÉERISTE
CHIQUETTE VOLTIGE

MES
PROFESSEURS

ANGAGES ET CODES SECRETS
MIMÉTIC CODICILLE

SURVIE
CARA PACENBÉTON

DÉFENSE CONTRE LES MÉCHANTS
TITUS BRISEROC

GÉOGRAPHIE DES SEPT MERS
KURIEU MAPPEMONDE

HISTOIRE FANTAISIQUE
STELLA MOIJESAITOU

À l'école

EN CLASSE

Ah, comme on dort bien sur les bancs de l'école !

RONF!!

BUREAU DU DIRECTEUR

Le bureau du directeur… un endroit que je connaissais bien ! Quand un professeur mettait un mot dans mon carnet, c'est là qu'on m'envoyait !

LABORATOIRE DE LANGUES SECRÈTES

?

C'est là que je me suis spécialisé en langue thonique et en dialecte méduséen !

DISTRIBUTEUR DE GOÛTERS

Mon endroit préféré pour une pause parfaite !

MES CACHETTES PRÉFÉRÉES !

♥ Le placard à balais du premier étage !

1

2

♥ La soupente de l'escalier F : personne ne l'emprunte jamais !

♥ L'armoire de la salle des professeurs (cachette à éviter, surtout si l'on est enrhumé : j'ai éternué et j'ai été découvert !)

Atchoum !

3

Grammaire chosilique
(Ou : Quand la grammaire peut te sauver les pinces !)

La langue chosilique est très DIFFICILE ! Et moi, à l'école, je n'y entendais rien ! Mais grâce à mon professeur, madame Chosette Chosique, j'ai compris que bien connaître la GRAMMAIRE peut vous sauver les pinces.

J'ai conservé en souvenir mon premier devoir en classe de grammaire chosilique :

Ç'AVAIT ÉTÉ UN DÉSASTRE !

Mais le dernier exercice (le n° 3 de la page ci-contre) m'avait convaincu qu'il valait mieux pour moi (et pour la santé de mes pinces) réussir dans cette matière !

Depuis ce jour, je me suis mis à l'étudier avec ardeur et je suis devenu très BON !

Le chosilique est très facile à parler, mais très difficile à comprendre ! En effet, nous disposons de 735 827 intonations différentes pour prononcer les mots « CHOSE » et « CHOSER », et selon le ton et la longueur des voyelles, leur sens peut changer du tout au tout !

Leçon n° 1
LIS ET TRADUIS

1

Je suis un <u>chose</u>.
Je me <u>chose</u> Grustave !

TRADUCTION : *Je suis un <u>bernard-l'ermite</u>. Je m'<u>appelle</u> Grustave !*

2

Le <u>chose</u> est à côté du <u>chose</u>.

TRADUCTION : *Le <u>livre</u> est à côté du <u>vase</u>.*

3

Le <u>chose</u> est à côté du <u>chose</u> !!!

TRADUCTION : *Le <u>requin</u> est à côté du <u>rocher</u> !!!*

*Note : dans ce cas, c'est l'intonation qui fait la différence. Il faut prononcer :
Le chooooose est à côté du choooooooooooooooooose !!!*

Leçon n° 2

CONJUGAISON DU VERBE CHOSER
Mode indicatif

PRÉSENT ✕

Je	chose
Tu	choses
Il / Elle	chose
Nous	chosons
Vous	chosez
Ils / Elles	chosent

PASSÉ COMPOSÉ ✕

Je	ai chosé
Tu	as chosé
Il / Elle	a chosé
Nous	avons chosé
Vous	avez chosé
Ils / Elles	ont chosé

PASSÉ SIMPLE ✕

Je	chosai
Tu	chosas
Il / Elle	chosa
Nous	chosâmes
Vous	chosâtes
Ils / Elles	chosèrent

PASSÉ ANTÉRIEUR ✕

Je	eus chosé
Tu	eus chosé
Il / Elle	eut chosé
Nous	eûmes chosé
Vous	eûtes chosé
Ils / Elles	eurent chosé

FUTUR SIMPLE ✕

Je	choserai
Tu	choseras
Il / Elle	chosera
Nous	choserons
Vous	choserez
Ils / Elles	choseront

FUTUR ANTÉRIEUR ✕

Je	aurai chosé
Tu	auras chosé
Il / Elle	aura chosé
Nous	aurons chosé
Vous	aurez chosé
Ils / Elles	auront chosé

📖 À vous de conjuguer le verbe à l'imparfait et au plus-que-parfait !

MANUEL DE CONVERSATION

Voici une scène typique entre des fiancés. La phrase « Chose, comme tu es chosante ! » peut vouloir dire « Ma chère, comme tu es élégante ! », mais aussi « Ma chère, comme tu es assommante ! ». Ainsi, selon l'interprétation que la bernarde-l'ermite donnera à la phrase, elle pourra avoir des conséquences différentes…

Chose, comme tu es chosante !

Ohhh !

Sgrounf !

1 Première interprétation : « Ma chère, comme tu es élégante ! » La bernarde-l'ermite de votre cœur tombera à vos pieds !

2 Seconde interprétation : « Ma chère, comme tu es assommante ! » C'est vous qui tomberez au pied de la bernarde-l'ermite de vos rêves !

Débrouillardise

Apprendre l'art de la débrouillardise est fondamental pour devenir un **MYTHIQUE MESSAGER MARIN**, car on ne sait jamais ce qui peut arriver lors d'un voyage dans les Sept Mers.

Lorsque je suivais les cours de Système Dey, professeur de débrouillardise, j'étais toujours très attentif : c'était ma matière PRÉFÉRÉE !

Le professeur disait que j'avais un certain TALENT naturel !

NOTE DU TRADUCTEUR, GERONIMO STILTON
C'est vrai : Grustave sait se tirer d'affaire dans toutes les circonstances et il a toujours la bonne solution au bon moment !
Un vrai MMM sait toujours comment se sortir d'un mauvais pas !

Q DEVISE DE SYSTÈME DEY
Un bernard-l'ermite qui fait tout en vaut trois !

UN ROBINET QUI FUIT ?

Très simple ! Demande à une palourde de s'y coller : elle bouchera parfaitement le trou et la fuite cessera.

DES PINCES ROUGIES ?

Réchauffe-les dans des pinçants : des gants spéciaux fourrés de laine… très chaude !

UNE MOULE VORACE A MANGÉ LE DEVOIR QUE TU DEVAIS REMETTRE À LA MAÎTRESSE ?

PAS d'inquiétude : apporte la moule en classe et oblige-la à répéter tout ce que tu avais écrit !

ATTAQUE D'UN REQUIN FÉROCE ?

Distrais-le en lui racontant une blague et… prends tes pinces à ton cou !

Une huître répond au téléphone :
« Allô, qui… PERLE ? »
Hé, hé, hé…
Gloub !

Voici une photo du plus beau jour de ma scolarité…
le dernier ! C'est celui où j'ai reçu mon diplôme de MMM
des mains mêmes de Floridiana !

Mythiques exercices pour se développer la cervelle !

POUR S'AIGUISER LA VUE !

Parmi les exercices que l'on nous faisait faire à l'école pour MMM, il y avait ce jeu, qui sert à aiguiser son intelligence et sa mémoire ! Essaie d'y jouer avec tes amis, le résultat est garanti !

JEU POUR 3 PARTICIPANTS OU PLUS

IL VOUS FAUT :

- 24 petits objets
- un morceau de tissu ou une nappe
- deux feuilles de papier
- deux crayons
- un minuteur

COMMENT JOUER :

Désignez un maître de jeu, qui pourra changer à chaque partie, et partagez le reste des joueurs en deux équipes. Le maître de jeu place sur la table, sans être vu, les 24 objets, petits et tous différents (par exemple : un trombone, un crayon, un bouchon, une pile, une cuillère…) et les recouvre avec le tissu.

SUITE

SUITE ·····

Le maître de jeu appelle ensuite les joueurs et découvre les objets, permettant à chacun de les observer pendant 1 minute exactement. Une fois le temps écoulé, il recouvre les objets.

Les joueurs des deux équipes ont 5 minutes pour écrire sur une feuille ce qu'ils ont vu.

Pour calculer le score des équipes, il faut donner :

- 1 point par objet correctement nommé

- 0 point par objet oublié

- 2 points en moins par objet inscrit mais qui n'est pas sur la table.

L'ÉQUIPE GAGNANTE EST CELLE QUI A LE SCORE LE PLUS ÉLEVÉ !

DIFFÉRENCES SOUS L'EAU

Dans la seconde image, il manque quatre détails. Lesquels ?

SOLUTION : Un des coquillages noirs à droite, un des poissons rouges qui nagent, l'algue verte sur le plus grand rocher et le buisson vert en bas à gauche.

PATTES, PATTOUNES, PATTOUNETTES...

Devine à quel personnage du royaume de la Fantaisie appartiennent ces pieds et… ces pattes.

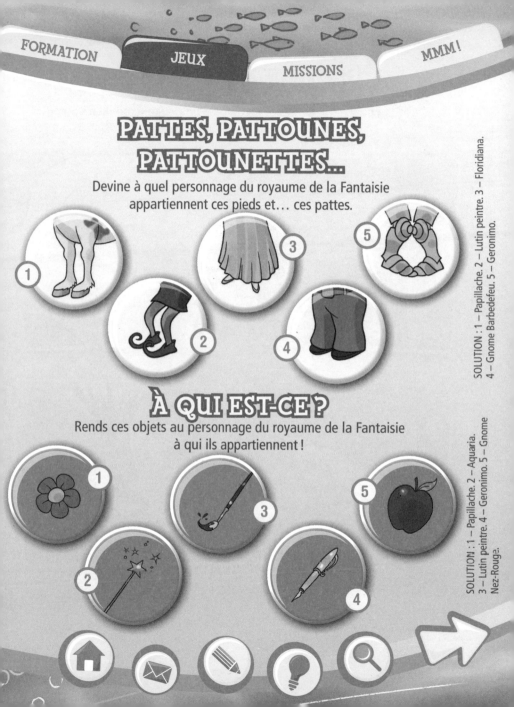

SOLUTION : 1 – Papillache. 2 – Lutin peintre. 3 – Floridiana. 4 – Gnome Barbedefeu. 5 – Geronimo.

À QUI EST-CE ?

Rends ces objets au personnage du royaume de la Fantaisie à qui ils appartiennent !

SOLUTION : 1 – Papillache. 2 – Aquaria. 3 – Lutin peintre. 4 – Geronimo. 5 – Gnome Nez-Rouge.

DEVINE CE QUE C'EST !

Sur chaque image figure un détail d'un personnage du royaume de la Fantaisie : devine ce que c'est !

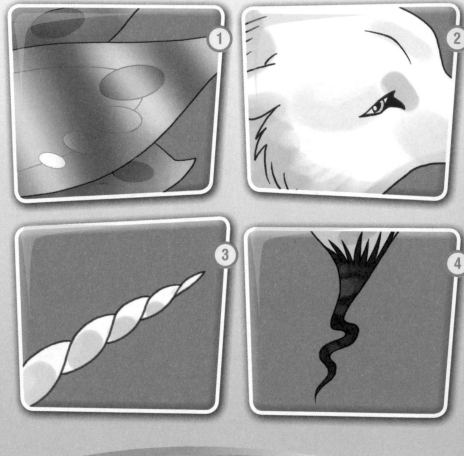

LE PUZZLE

Photocopie l'image ci-dessous et découpe-la
en suivant les lignes. Puis recompose le puzzle !

TROUVE L'ERREUR !

Cette image comporte 9 détails bizarres !
Un Mythique Messager Marin observant la scène
saurait voir d'un coup d'œil ce qui ne va pas. Et toi ?

SOLUTIONS : l'ananas sur le buisson en bas, l'ampoule sur l'arbre, le réveil au milieu des fleurs, le téléviseur sur un plateau, les palmes aux pieds d'un Gnome, le gouvernail avec lequel joue la petite fille, le feu tricolore sur l'une des maisons, la chaussure sur la table et le sombrero du batteur.

Comptes-rendus de missions !

MISSION... MINUSCULE !

Ma première mission fut assez difficile : je dus transmettre un très long message de Floridiana à Fritillaire, la reine des Gnomes. Jusque-là, tout va bien !

Mais la chose la plus difficile fut de transmettre la réponse de Fritillaire à Floridiana : elle était écrite sur un grain de riz ! Pour la lire, je dus utiliser une paire de lunettes grossissantes spéciales.

Puis je dus détruire le message, et c'est ainsi que je me préparai un bon risotto, avec plein d'autres grains de riz, et que je le mangeai pour brouiller les pistes !

Chère Floridiana, merci pour ta lettre ! En échange, je t'envoie la recette du flan à la fraise : c'est ma spécialité ! Fritillaire

LA MISSION DU CŒUR !

Ouh là là, ma mission la plus difficile a été… euh… de remettre un message à Grustavette, la bernarde-l'ermite de mon cœur ! Je lui ai écrit une poésie, mais finalement je n'ai jamais trouvé le courage de la lui lire ! La voici ! Elle lui plaira… peut-être !

Oh, Grustavette, ma Grustavette,
Tu es plus belle qu'une crevette !
Tes yeux brillent comme des étoiles de mer,
Tu es plus douce qu'un bonbon amer !
Hélas, j'en pince tellement pour toi,
Il n'y a pas plus amoureux que moi !
À ce papier je confie mon amour,
En espérant que tu le liras un jour !
J'y ai mis mon cœur, qui ne bat que pour toi…
Fais de moi ce que tu veux, à ton choix !

Ton Grustave

Moments... nigauds !

Voici tout ce que le Chevalier des Sept Mers ne vous a pas raconté sur notre mission : je l'ai photographié avec mon choseil chosographique (mon appareil photographique), pour conserver les preuves de sa nigauderie…

SDENG !

Attention à l'arbre de cristal transparent ! Trop tard…

Un baiser affectueux… trop affectueux !

Urgh !

Test : ferais-tu un bon MMM ?

Voici le sujet de mon examen à l'école
des Mythiques Messagers Marins.
Découvre si tu as, toi aussi, l'étoffe d'un bon MMM !

1 LE RÉVEIL N'A PAS SONNÉ ET TU ES EN RETARD… QUE FAIS-TU ?

A. Tu te brosses les dents en t'habillant et tu sors de chez toi en courant.

B. Tu essaies de te préparer en vitesse, mais sur la table tu vois la dernière BD de Mister Bigornix et tu t'arrêtes pour la lire.

C. Tu es tellement en retard que tu ne tentes même pas de te lever : tu te retournes dans ton lit et continues de dormir.

2 TU DOIS REMETTRE UN MESSAGE URGENT À UNE MÉDUSE AUX TENTACULES QUI DONNENT DES BOUTONS. QUE FAIS-TU ?

A. Tu mets une cuirasse de protection spéciale et tu pars sans crainte !

B. Tu glisses la lettre sous sa porte, tu frappes et tu pars en courant.

C. Tu déchires le message en mille confettis que tu jettes par la fenêtre et tu fais semblant de ne l'avoir jamais vu.

3 POUR TE CAMOUFLER SUR UNE PLAGE SURPEUPLÉE, TU TE DÉGUISES EN :

A. Coquillage sur le sable.
B. Serviette de plage (en espérant que personne ne s'assiéra sur toi !).
C. Tu ne te déguises pas, mais restes immobile en espérant que personne ne te remarquera.

4 UN REQUIN AFFAMÉ TE BARRE LA ROUTE...

A. Tu connais son point faible : tu le chatouilles sous le menton et tu t'enfuis.
B. Tu cries « une huître qui vole ! », pour détourner son attention.
C. Tu t'excuses et tu rentres chez toi.

5 VOYAGER RIME AVEC...

A. Explorer.
B. Rencontrer.
C. Transpirer.

6 MMM EST L'ACRONYME DE...

A. Mythique Messager Marin.
B. Mystérieux Messager Muet.
C. Melon Mariné Moisi.

MAJORITÉ DE RÉPONSES A
Bravo ! Tu es nommé(e) MMM ! Tourne la page et remplis ton diplôme de MMM en y collant ta photo !

MAJORITÉ DE RÉPONSES B
Pas mal ! Tu es sur la bonne voie et devrais devenir un bon MMM, mais tu dois encore réviser un peu.

MAJORITÉ DE RÉPONSES C
Peut-être la carrière de MMM n'est-elle pas faite pour toi ? Peu importe : chacun doit suivre sa route !

Diplôme de MMM

FÉLICITATIONS !
Tu es enfin devenu(e) toi aussi un Mythique Messager Marin !
Photocopie la page ci-contre, colle une photographie de toi
dans le carré et encadre-la !

✂ DIPLÔME DE MMM ✂
MYTHIQUE MESSAGER MARIN !

Moi, Grustave de Grustavin des Crustacheux,
au service de Sa Majesté Floridiana,

je nomme ....
MMM, c'est-à-dire Mythique Messager Marin !

COLLE ICI
TA PHOTO !

TU AS OBTENU CE DIPLÔME PARCE QUE TU AS FAIT PREUVE :

⭐ de courage en affrontant des mages perfides,
des requins et d'autres créatures dentées !

⭐ d'inventivité dans l'art de la débrouillardise !

⭐ d'excellence en langue chosilique !

⭐ de bonnes manières et de gentillesse envers tout le monde !

FÉLICITATIONS

Signé :

Grustave de Grustavin

Geronimo Stilton

DU MÊME AUTEUR

Hors-série
Le Royaume de la Fantaisie
Le Royaume du Bonheur
Le Royaume de la Magie
Le Royaume des Dragons
Le Royaume des Elfes
Le Royaume des Sirènes
Le Voyage dans le temps tome I
Le Voyage dans le temps tome II
Le Voyage dans le temps tome III
Le Voyage dans le temps tome IV
Le Voyage dans le temps tome V
Le Secret du courage
Énigme aux jeux Olympiques

Et aussi...